ANA SUY

NÃO PISE NO MEU **VAZIO**

Ou o livro do vazio

Ilustrações
Julia Panadés

Copyright © Ana Suy Sesarino Kuss, 2023
Copyright © Editora Planeta do Brasil, 2023
Todos os direitos reservados.

Preparação: Ana Laura Valerio
Revisão: Ricardo Liberal
Projeto gráfico e diagramação: Márcia Matos
Capa: Helena Hennemann | Foresti Design
Tratamento de ilustrações: Nine Editorial
Ilustrações de capa e miolo: Julia Panadés

Dados Internacionais de Catalogação na Publicação (CIP)
Angélica Ilacqua CRB-8/7057

Suy, Ana
  Não pise no meu vazio / Ana Suy. - São Paulo: Planeta do Brasil, 2023.
  208 p.

ISBN 978-85-422-2244-9

23-2405   CDD B869

Índice para catálogo sistemático:
1. Literatura brasileira

Ao escolher este livro, você está apoiando o manejo responsável das florestas do mundo e outras fontes controladas

2024
Todos os direitos desta edição reservados à
EDITORA PLANETA DO BRASIL LTDA.
Rua Bela Cintra, 986 – 4º andar
Consolação – 01415-002 – São Paulo-SP
www.planetadelivros.com.br
faleconosco@editoraplaneta.com.br

Para Dolores, minha mãe.

> Amar profundamente
> mas testar
> volta e meia
> se ainda
> dá pé
> ANA MARTINS MARQUES

> Sempre me restará amar. Escrever é alguma coisa extremamente forte mas que pode me trair e me abandonar: posso um dia sentir que já escrevi o que é o meu lote neste mundo e que eu devo aprender também a parar. Em escrever eu não tenho nenhuma garantia. Ao passo que amar eu posso até a hora de morrer. Amar não acaba. É como se o mundo tivesse à minha espera. E eu vou ao encontro do que me espera.
> CLARICE LISPECTOR

APRESENTAÇÃO OU: DESABAFO

Os textos reunidos aqui foram escritos ao longo de uns dez anos ou talvez mais. A maioria deles são os famosos "textos de gaveta", que escrevi para respirar, sem pretensão alguma de mostrar a alguém. Alguns foram escritos para publicar num coletivo para o qual escrevi disciplinadamente por oito anos (e que existe ainda hoje, com outros integrantes, e se chama *Confraria dos trouxas*). Tudo ia bem, até que em 2017, num jantar qualquer em casa, fui invadida por esta expressão: "não pise no meu vazio". E, com ela, uma misteriosa urgência de publicar esses textos no formato de livro. Foi quando reuni muitos desses textos e os dividi em três capítulos: do que preenche, do que esvazia e do que preenche e esvazia ao mesmo tempo. Enviei os manuscritos a duas editoras: à Planeta, que já era uma editora enorme, e à Patuá, que era e é uma editora independente.

Meu livro foi gentilmente recusado pela Planeta e aceito com alegria pela Patuá, que o publicou e se felicitou comigo com a surpreendente quantidade de exemplares vendidos. Não sei quantos foram, mas sei que é um dos livros que mais saíram na editora Patuá, assim li numa entrevista. Como o mundo dá voltas (e a gente ama essas voltas!), passados alguns anos recebi um convite da editora Planeta para escrever um livro para o Paidós, o selo de psicologia e humanidades dessa grande editora. Aceitei, é claro, e foi assim que nasceu *A gente mira no amor e acerta na solidão*, um grande sucesso de vendas da editora e muito especialmente do selo Paidós. Em seguida, veio o convite para publicarmos uma nova edição do *Não pise no meu vazio*. Quando Felipe Brandão, meu editor genial, me convidou para publicar uma versão repaginada deste livro, ele não sabia dessa minha pré-história com a Planeta. E eu fiz aquele "yessss" com cada célula do meu corpo, sabem? Isso acontece quando a gente consegue apostar em algo com alegria, mesmo que isso leve mais tempo do que gostaríamos.

Então, queridas leitoras, queridos leitores, queria dividir essa historinha com vocês, para que saibam: este livro é, para mim, uma celebração! Para comemorar esta nova edição, revisei os textos já escritos, excluí alguns de que eu já não gostava e escrevi alguns novos, especialmente para o terceiro capítulo.

Você verá que o primeiro capítulo tem uma pegada mais "sofrência", há quem vai amar e há também quem vá se irritar. Pode ser mesmo um grande incômodo que haja mulheres que insistam em amar e em declarar amores exagerados (será um pleonasmo?) ainda hoje. Mas mesmo que você não goste do primeiro capítulo, peço que não desista, pois o segundo fica ligeiramente mais suave. Ou não. Depois você me conta. O terceiro capítulo é hoje o meu favorito, pois nele o amor parece deslizar de um endereçamento a uma pessoa para se dirigir ao vazio, ao nada, à escrita.

Preciso confessar que achei muito interessante essa experiência de reler meus textos e de comentar algo deles nessa apresentação com vocês, não da posição de escritora, mas, sobretudo, da posição de leitora. Parece que algo se realiza em mim, nesse movimento. Por tudo isso, este livro é uma celebração.

PREFÁCIO

O que preenche, o que esvazia,
o que preenche e esvazia ao mesmo tempo.

Este é um livro escrito por gente. Gente de verdade. Gente incompleta, que se descompleta a todo instante no contato com o outro. Gente que frequenta o feminino e tem intimidade com o real. É um livro sobre excessos, sobre faltas, sobre o vaivém da vida, sobre o amor, o ódio e a dor. Poesias escritas por uma mulher que não foge à luta ao se deparar com a vida diariamente, a cada amor: da mãe a cada homem que se segue ao primeiro amor, amor inaugural. É um livro que acolhe o vazio com carinho, como condição necessária e fundamental da existência. É um livro de gente atravessada pelo discurso psicanalítico.

O corpo escreve e faz da linguagem uma forma de existir no mundo. Para nós, psicanalistas, o vazio é aquilo que dá lugar ao desejo quando o sujeito passa a desejar ser desejado por outro sujeito (isto é, por outro vazio). Em lado avesso ao dos animais, que encontram objetos naturais para preencherem seus vazios também naturais – como fome, sede e sexo –, o ser humano não encontra nenhum objeto para preencher seu vazio já que este não é natural, ele é fruto da linguagem. A partir disso, o homem passa a desejar um objeto não natural que preencha seu vazio não natural. O único objeto não natural encontrado é o desejo, que brota de outro vazio não natural. O sujeito surge a partir da linguagem, é o resto da operação do recalque primário que possibilita o acesso à simbolização. O sujeito é o vazio onde irá deslizar a cadeia de significantes e que remete ao real do gozo da pulsão.

Assim, o preço pago ao preencher o vazio é a cessação do desejo, e a irrupção consequente da angústia. A luta humana é constante para manter o vazio que lhe possibilite desejar, continuar vivendo. Apesar da dor, com as delícias do amor.

As poesias de Ana Suy nos fazem caminhar pelas avenidas, ruas, becos, ladeiras abaixo e acima, da infinidade de afetos que atravessam a cidadela da alma humana e, em especial, a feminina. Não se pode viver sem o vazio, mas tenta-se preencher o vazio com inúmeros objetos do mundo, pois, em sua indagação: "Há algo pior do que estar vazio de vazios?".

A sua maneira de contornar o vazio é pela escrita, não com a finalidade terapêutica, embora ela se dê, mas para sentir a vida e ter sobre ela um relativo controle da medida do enche-esvazia do vazio, atirando-se no penhasco da vida com palavras para se manter viva. Vivendo e dividindo conosco, seus leitores, a sua dor de existir. Com amor.

RITA MANSO
Psicanalista, professora associada
do Programa de Pós-graduação
em Psicanálise da Universidade do
Estado do Rio de Janeiro (UERJ) e
professora titular do Departamento
de Fundamentos da Educação da
Universidade Federal do Estado do
Rio de Janeiro (UNIRIO)

PREFÁCIO À NOVA EDIÇÃO

Ao ler *Não pise no meu vazio*, tive certeza de que poucas vezes a psicanálise abordou, com tal rigor teórico e liberdade poética, a espinhosa questão da inquietude que a falta inspira nos seres humanos.

Associar sua prática de clínica psicanalítica de acolhimento das narrativas de pacientes de seus bons e maus encontros – das palavras que lhes foram ditas e as que não lhes foram ditas e pelas quais esperaram em vão – à materialização do vazio de diferentes maneiras em sua obra, consagrou Ana Suy como uma das mais destacadas escritoras do cenário literário nacional.

Por qual motivo, pergunta ela, os seres humanos dispendem tanto tempo e tanto empenho para encontrarem o "par perfeito", o "alter ego", senão pelo fato de acreditarem que a falta lhes geraria angústia? Os amantes anseiam gravar seu encontro no frontão do destino, se tranquilizando – "estava escrito" – para dar um gosto de eternidade à sua história de amor.

A angústia, no entanto, não é a consequência de uma falta, mas, pelo contrário, é a falta da falta. A noção de cheio demais se traduz por relatos de excesso, de sem limites. Em sua essência, a psicanálise é uma clínica da falta na origem do desejo e do amor.

Na sua formulação de que "o amor é dar o que não se tem", Lacan ressalta que a demanda de amor teria o "nada" como objeto de satisfação, um nada dado pelo Outro. Assim, no amor, dá-se e recebe-se o "nada".

Os delicados poemas de Ana Suy abrem espaço à indeterminação, ao acaso e à liberdade no amor. Ela destaca que o amor é misterioso, aleatório e surge sempre como surpresa. O fato é que encontro amoroso não se produz como um reflexo narcísico, no espelho, mas como uma fragmentação do espelho, uma experiência de um "Outro". Quando se diz "eu te amo", deveria se acrescentar: "mesmo que eu não saiba por quê".

O amor é uma surpresa que, com exceções, contém seu fim. Como o evitar? Confiando na solidão. O amor que dura não se funda na fusão de dois, mas na impossível comunhão, na solidão dos dois. Estar vivo é uma perpétua incerteza. É uma oscilação contínua entre o cheio e o vazio, entre o que me pertence e o não pertence.

Em sua nova edição, *Não pise no meu vazio* dialoga com *A gente mira no amor e acerta na solidão*.

Para nós que somos atravessados pela transmissão da psicanálise, celebramos a nova edição deste livro com alegria.

MALVINE ZALCBERG
Psicanalista e doutora em psicanálise

SUMÁRIO

Do que preenche

Buracos	25
Caí	27
Silêncio	31
O amor que não ama	33
Dentro de mim estou em ti	35
Cócegas	37
Dedo mindinho	41
Dividindo o meu corpo	45
Quero te vomitar	47
Jogo de fraquezas	49
Me beije a boca do estômago	53
Perguntas	55
Sonho compartilhado	59
Cinquenta e seis	63
Quando ele dorme	67
Navalha	71
Necessidadezinhas	73
Quando você não me quer	75

Das urgências	77
Minha mãe	81
Corpalavra	83
Da falta que excede	85

Do que esvazia

Primeira vista	91
Porre de você	95
Nina	97
Soneto de infidelidade	101
Já não nos somos	105
Quarenta e tanto	109
Me deixa	113
Vazio de vazios	117
Desinvenção	119
Do que conecta	123
Autofagia	127
Espelhos	131
O vazio do sol	133
Como saber?	137
Esquecer	141

Não pise no meu vazio	145
Prometo não te preencher	147
Confissões sobre uma tentativa
    de escrever	149

Do que preenche e esvazia ao mesmo tempo

Caro amor da minha vida	155
Onde acontece o amor?	159
A chuva	163
Sofia	167
Disfarce	171
Mas não muito	175
Alfabeto feminino	179
Paliativo	181
Bichinho da escrita	185
Batismo	189
Biscoito da sorte	191
A cor dá	193
A casa mal acolhida	195
Escrever	197
Casa sem quarto	199

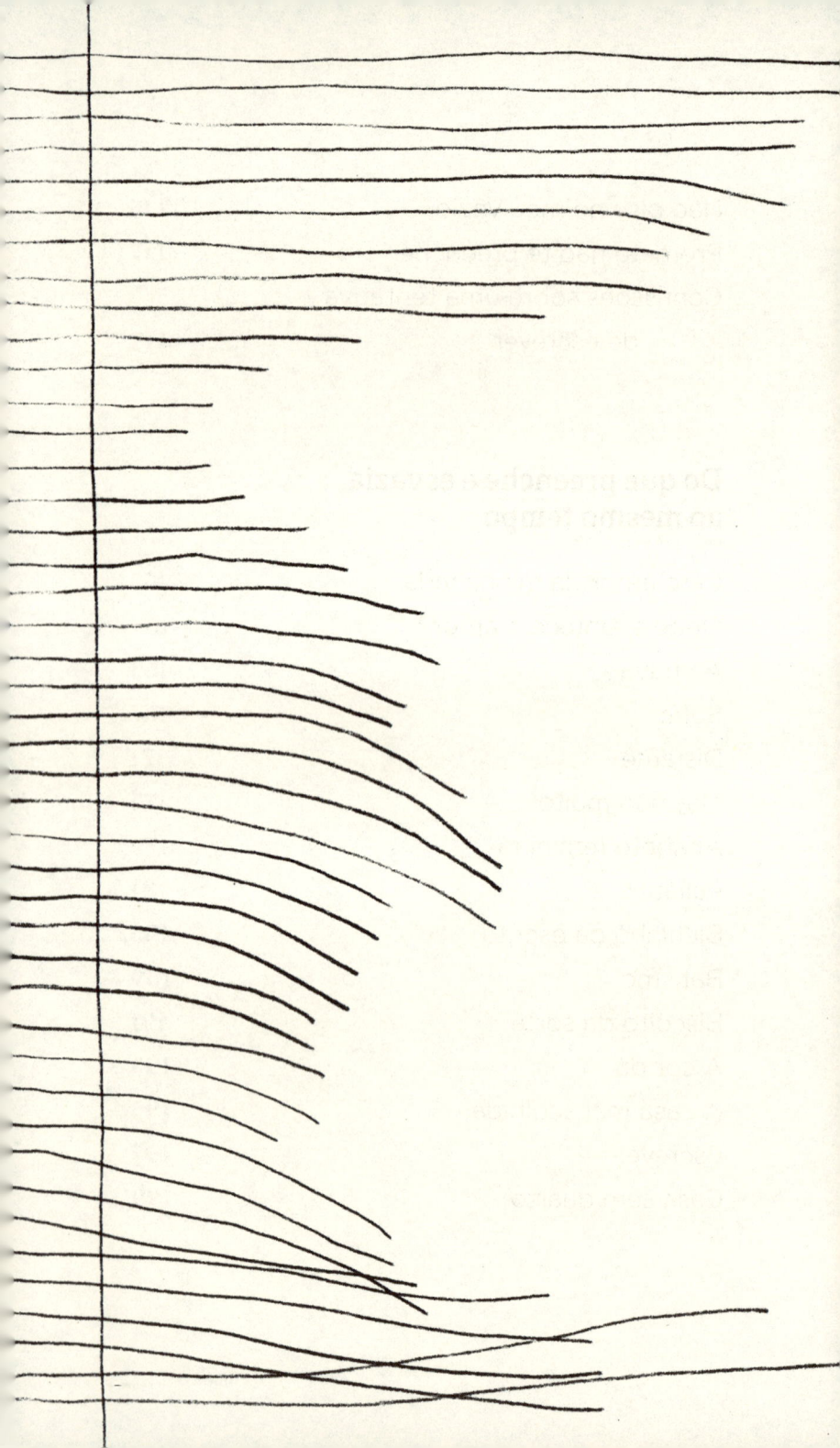

Do que preenche

Buracos

Era uma menina cheia de buracos tampados. A mãe enfiava a linha na agulha e fazia um nó na ponta. Enfiava a agulha numa narina e tirava pela outra, enfiava a agulha na ponta da língua e depois no olho direito dela. Então passava a agulha pelo olho esquerdo e o ligava ao lábio superior. Aí pensava que a menina sentia dor, coitadinha, e era assaltada por um desejo irresistível de se conectar com a criança para sentir a dor dela. Já se sabia conectada pela alma, mas a alma ela não podia ver, então ligava o ponto do lábio inferior da menina ao seu próprio lábio superior, e costurava buraco por buraco seu aos buracos por buracos dela. E assim ela renovava o cordão umbilical que um dia as uniu. E assim elas não tinham buracos que não fossem possíveis de serem tampados. Um buraco que está sempre tampado ainda seria um buraco?

Caí

Sou tão você que me confundo comigo.

Meu corpo não tem fronteiras e só quer sentir com o seu corpo.

O toque se faz insuficiente, quero me fundir a você, quero que meu corpo coincida com o seu para que eu possa descansar a minha existência.

Silêncio... está ouvindo? É a minha intuição me dando bronca.

Ela manda que eu me cale. Disse que já estamos fundidos. Aliás, você não. Eu estou fodida.

Foi naquele dia, há anos, eu sei exatamente quando. Eu estava ali com você, te olhando, você evitava meu olhar como quem sabe o risco que corre. Eu disfarçava a minha ânsia de decorar a diferença entre cada poro da sua pele, mas de repente seu olhar manteve-se no meu por mais do que um instante e eu senti um frio na barriga. Não foi um frio na barriga dessas borboletas que o povo diz que sente no estômago. Foi um frio na barriga do tipo que eu sentiria se eu pulasse de paraquedas, foi um frio na barriga do tipo neve no estômago. Um frio na barriga que é absolutamente físico.

Então, foi naquele dia. Soube disso quando eu me lembrei do seu olhar me olhando por mais do que um instante, do seu olhar me agredindo, do seu olhar me convidando sem você saber, e eu caí pra dentro de você! O frio na barriga foi o que eu senti quando minha alma foi sugada pra dentro do seu corpo pelo seu olhar.

Eis que agora tem só um pouquinho de alma minha no meu corpo. Mas dentro de você tem um pedaço guloso da minha alma.

Ah, vai me dizer que você nunca percebeu? Basta prestar atenção no sangue que corre pelo seu peito, que desce para a sua barriga, sinta o seu sangue borbulhando... Você não borbulhava antes de mim, só corria.

Sei que você não acredita em mim, que é racional demais para acreditar que parte minha vive embaixo da sua pele, que se defende das verdades que lhe digo achando que estou falando por metáforas. Mas sei também que você, tal como eu, tem medo. Sei que, no fundo, você treme de medo de que eu sugue a sua alma. Mas dessa vez foi você que sugou a minha.

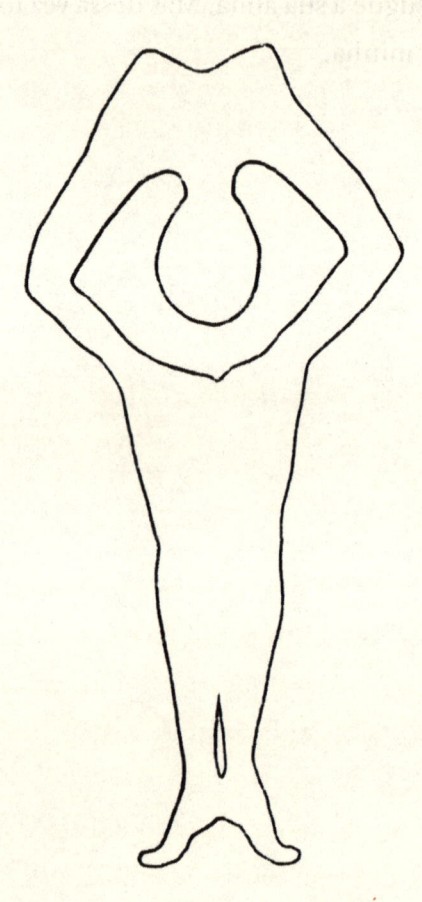

Silêncio

Quando me encaixo no silêncio que mora em mim sou tomada por uma vontade de não mais me mexer. Articulo palavras mudas que caem do lado de dentro de mim direto num abismo do qual retornam pequenas satisfações que me fazem produzir mais palavras mudas. Se eu torço para a palavra escorregar pela minha língua e cair no seu ouvido, torço à toa, torço pouco ou torço mal. De novo a palavra desliza para o meu abismo e só sei disso porque a cada palavra caída uma pequena marca de uma satisfação esquisita se crava em mim. Não consigo sair desse estado sozinha. Às vezes dura alguns segundos, às vezes algumas semanas. É como um transe, que não deixa nenhuma marca e por isso me faz duvidar de que realmente aconteceu. Só saio disso quando alguém deixa a realidade tão intolerável que sou agressivamente convocada a interagir com ela. E aí tenho que me responsabilizar pelo tempo em que estive ausente de mim, o que me desgasta demasiadamente. É tão quentinho o laço que faço comigo, do qual ninguém mais participa... Mas me sou tão insuficiente... Ao sair do meu estado pseudo-hipnótico não desejo mais retornar a ele. Mas se a realidade se estabiliza, lá estou eu de novo. Há algo de extremamente sedutor no silêncio. Talvez seja simplesmente a ausência de qualquer coisa. Tal como uma folha em branco contém em si todos os desenhos do mundo, tal como um pedaço de barro contém em si todas as esculturas do mundo, o silêncio carrega consigo todas as palavras do mundo. O silêncio é infinito, o dizer é tão limitado... Digo silêncios para dizer coisas opostas ao mesmo tempo sem me contradizer. Quando digo palavras minhas ambiguidades ficam escancaradas. Preciso me proteger de mim.

O amor que não ama

Você ficou tão perfeito desde que foi embora... O tiquetaquear do relógio só sabe passar photoshop e filtros na nossa relação e cada vez mais eu me lembro menos do quão mais ou menos era estar ao seu lado. Fico embelezando a sua imagem e me enxergando como um verme. Me sinto culpada por coisas que não fiz, por coisas que desejei, por coisas que desejei desejar, por coisas que deixei a desejar, por coisas que te deixei desejar, por coisas que não me deixei desejar. Tenho confundido amor com culpa, mas sempre confundo amor com tudo: amor com comida, amor com neurose, amor com bebida, amor com sexo, amor com vontade de amar. Acho que tudo é amor, quando na verdade desconfio mesmo é de que não sei o que é amor. Você repete o clichê dizendo que o problema não é comigo, mas com você, e eu bem sei que isso é verdade, embora isso não sirva para eu me sentir melhor. Não queria que você me achasse linda demais, delicada demais, inteligente demais, autossuficiente demais ou sei lá o que demais, eu queria só que você me quisesse ao seu lado. Você poderia me odiar, desde que me quisesse por perto. Suportar o seu ódio seria fácil diante da dor que tem sido suportar o seu amor que não sabe amar. Eu sei que você me ama e que por isso não suporta a minha presença. Amar é perder o controle e você adora a ilusão de que o mundo gira em torno do seu umbigo. Eu giraria em torno do seu umbigo, se você quisesse. Sou idiotinha o suficiente pra me contentar com migalhas. Eu aceitaria ser o verme da sua barriga, se você deixasse. Ainda bem que você não deixa.

Dentro de mim estou em ti

O dia está disfarçado de noite. Você aniquilou a minha existência. Seus olhos pareciam ingênuos, mas eram abismos disfarçados de vaga-lumes sorridentes. Eu caí pra dentro do seu olhar. Despenquei, tal como a Alice e seu nonsense no país das maravilhas. Frio na barriga e tudo. Desde então, não sei mais me diferenciar de mim, quero dizer, de nós, quero dizer, de você. Eu mais você não somos um, meu cérebro sabe disso, mas a minha pele finge não saber. Me misturo a você toda vez que te toco, caio pra dentro de ti a cada vez que me olha. Sem saber, você sabe disso. Tenho percebido que você já evita olhar nos meus olhos, cê bem sabe o risco que corre. Eu sei, você tem medo de que eu aniquile a sua existência, assim como fiz com a minha. Eu também estaria amedrontada em seu lugar, mas não estou, apesar de estar. Então acho bom adverti-lo: aniquilo-te ou aniquilo-me. Não sei amar de forma saudável, só sei engolir a sua existência ou te fazer vomitar a minha. Não conheço amor com cheiro de lavanda, só com cheiro de gente. Pele, suor, mucosa. Amor é um treco sujo e quase fedorento. Mas é claro, a gente inventa, enfeita com eufemismos, desinfeta, passa álcool gel e faz uso da miopia, a gente faz o que pode pra disfarçar a nossa podridão dos olhares alheios – reflexo do nosso próprio olhar. O dia está cinza ou foi você que me ignorou? O céu está azul ou foi você que sorriu pra mim? Quem nunca confundiu o lado de dentro com o lado de fora de si, não sabe o que é intensidade. Não me aguento mais em você, preciso me afastar. Suma daqui! Mas me leve com você...

Cócegas

Sinto apenas cócegas por você. E aí digo que é amor. Cócegas são pequenas angústias. Ou grandes angústias, dependendo da intensidade. Cócegas são a denúncia de que não controlo o meu corpo, de que não controlo os meus movimentos, de que não controlo as minhas sensações.

    Amor é apenas cócegas na alma. Por mais que eu saiba que você vai me tocar com uma intensidade que oscila entre leve e agressiva, acima do meu ossinho da bacia, morro de agoniazinhas. Grito como se não acreditasse que sou dona de mim. Faço escândalo como se eu não fosse preocupada com a imagem que passo para as pessoas ao meu redor. Te arranho como se eu não me importasse com o susto que te causo.

E acho que a minha parte que mais se aproxima de mim é assim mesmo. Machuca, desdenha, escandaliza. A minha parte que mais se aproxima de mim me assusta.

Aí eu me visto em várias camadas, tal como uma cebola. Me visto de palavras, sapatos, roupas bonitinhas e ideias politicamente agradáveis sobre a minha pessoa. Então, acho que sou uma pessoa relativamente normal, relativamente equilibrada, relativamente educada, relativamente bem-adaptada, relativa-mente. Ah, como sou mentirosa!

No fundo sei que sou um poço de loucura, lutando avidamente para me disfarçar sem morrer. Porque se deixo de ser louca, deixo de me ser, e então morro. E se enlouqueço sem amarras, morro ainda assim.

A loucura mata, mas a normalidade mata ainda mais. Prefiro morrer de morte vivida a morrer de morte morrida. Prefiro morrer de cócegas a morrer de uma angústia sem nome.

Ao menos nas cócegas, há alguém me tocando. (A angústia é a pura solidão.)

Vocês sabem, é impossível que façamos cócegas em nós mesmos. As cócegas são a encarnação da falência dos livros de autoajuda. Tem coisas que simplesmente não se pode fazer sozinho. É impossível ser feliz sozinho. E se você for uma mulher, talvez seja ainda mais impossível.

    Eu te cócegas, meu amor.

Dedo mindinho

Tem algumas coisas que não param de acontecer nela, como se ela jamais pudesse entender algo. Ela está eternamente numa quarta-feira de 2003 ou numa primavera de 1989 ou numa data cabalística de 1906. Ela pensou isso, enquanto esbarrava seu dedo mindinho do pé direito no pé da mesa da sala de jantar, e na tentativa de espantar a dor, enquanto cuspia deliciosamente um palavrão, pensava que há também partes de seu corpo que ela nunca incorpora. Seu dedo mindinho, por exemplo, sempre lhe parece um corpo estranho, que ela reconhece como sendo seu apenas pela dor. Se não dói, ela olha aquele dedo feio de unha dupla e não pode acolhê-lo, ele lhe é um corpo estranho.

Assim como lhes são alguns dias, afetos, amores ou acontecimentos. Parece que aconteceu há tanto tempo que não era ela, ela sente certos acontecimentos como se tivessem sido em outra vida. Ela se sentia muito menor do que era, talvez por isso toda vez que se via no espelho achava que havia corpo demais ali. A ideia que ela fazia de quem era não correspondia à imagem refletida. "Quando me vejo refletida ali, vejo que há um excesso de corpo, há muita coisa sobrando em mim." E assim se permitia ser atropelada por coisas da moda, como suco detox e teorias do desapego. Tentativas de eliminar excessos de si. "Não é que eu me ache gorda, eu até me acho, mas o problema não é ser gorda, é existir demais. Eu queria existir menos, eu sinto muito e queria sentir menos." Assim ela disse ao psiquiatra, que recomendou um remédio para diminuir a ansiedade. Assim ela disse à moça do shake diet, que aproveitou da situação para lhe vender todo um kit para o verão. Assim ela disse ao homem que a amava, que, não podendo suportar a dor dela, não conseguiu prestar muita atenção. Assim ela escreveu num papel, que guardou seu segredo. E assim a moça continua vivendo com seus excessos, tentando incorporar pedaços de si, às vezes maltratando a si mesma como se fosse sua própria inimiga, às vezes sofrendo de Alzheimer de partes suas. Ora os reconhecia, acolhia e até mesmo amava, para em seguida não ter a menor ideia do que eles faziam ali nela. Ela quem?

Dividindo o meu corpo

Eu achei que o amor ia passar, que depois de um tempo eu seria insensível a você. Vamos deixar a hipocrisia e o amor idealizado de lado, e admitir que, muitas vezes, sou sim. Por vezes te olho e você não me diz nada, é só uma pessoa nesse mundo. Não te amo o tempo todo. De vez em quando, acontece ainda de eu te odiar (em silêncio, porque procuro te poupar da minha gangorra existencial). Aliás, muitas vezes eu te amo como nunca nenhuma mulher aguentou amar nesse mundo, e você nem tem notícias disso. Me arrebento de amor e de ódio por você, e você nem sabe. É que eu sei que se você me conhecesse mesmo, eu te seria insuportável. Forjo um certo equilíbrio nas minhas palavras, e eu sei que muitas vezes você acredita nelas. Forjo tão bem, que por vezes eu mesma acredito – e preciso disso. Teve um dia dessa semana que eu me peguei insone. Não podia dormir porque o toque da sua pele na minha berrava nos meus ouvidos de um jeito irritante. Não sou dona de mim, é verdade, mas quando você me toca, eu desisto de me ser. E depois de duas décadas juntos você ainda tira o meu sono. Você tem noção do quão ridículo é isso? Me sinto encabulada de escrever isso, mas o faço porque me reconheço no seu olhar que, ao ler meus pedaços de verdade cuspidos em bilhetes que volta e meia deixo espalhados pela casa, balança a cabeça, me chama de louca e diz que não entende. Que bom que você não me entende, eu não suportaria dividir a minha vida e o meu corpo com alguém que me entendesse – porque seria uma pessoa mentirosa. É, amar é dividir o corpo com alguém. Enfim, meu amor por ti já passou e todos os dias sou visitada por um novo amor. As variações do amor parecem ser infinitas. Cada "te amo" fala de um amor que é único. Eu nunca repeti um "te amo". Sabe o "te amo" que eu te disse da última vez? Não existe mais.

Quero te vomitar

E de tanto te amar, e de tanto te engolir, e de tanto querer fazer nós dois virarmos um, e de tanto te desejar tatuado na minha pele, e de tanto querer sentir o gosto da comida com a sua língua, e de tanto querer enxergar o mundo através do mel dos seus olhos, e de tanto querer, quero te vomitar. Me fundo a você demasiadamente. Quero a minha essência de volta. Essa mesma, a que eu nunca tive. Não quero mais me confundir com você. Não quero ficar em dúvida se sou eu que penso ou se é você que pensaria. Cansei de achar que quero uma coisa, mas não saber se quero de forma autêntica, ou se é só pra ser desejada por você. Camaleoo-me por você, independente da minha vontade. Gosto do que você gostaria que eu gostasse – assim, sem esforço algum, verdadeiramente. É como a funcionária honesta e entediada que, mesmo odiando o seu trabalho, não pode faltar, e então empresta o seu corpo à doença. Assim sou eu que, para ser objeto do seu desejo e do seu amor, me torno aquilo que você gostaria que eu fosse. Torno-me desde sempre aquilo que você queria. E ainda assim não é o suficiente. Nunca é. Porque sou aquilo que você queria de um modo desajeitado, e não de forma sexy. Só sei existir torta e essa é a minha única essência. Porque sempre resta um pontinho de mim para entortar aquilo em que eu me transmuto. Quero que esse pontinho me tome toda. Mas ele é mirrado, desnutrido, fracassa toda vez, só sabe ser torto. Saia daqui de dentro de mim, pontinho. Meu corpo precisa existir em si mesmo. Meu ser quer des-ser. Quero te vomitar.

Jogo de fraquezas

Para algumas pessoas, escrever é terapêutico, é um modo de extravasar em letras aquilo que se sente. Eu escrevo para sentir. Tenho uma tendência a morrer que me mata. E quando escrevo me sinto viva. Não enquanto escrevo, mas depois que escrevo. É como se eu cutucasse uma ferida em mim, como se eu ligasse algum botão que acende a vida. É que viver dói em mim. Escrevo por masoquismo e não por terapia. Quando não escrevo me sinto meio zumbi, quer dizer, não me sinto, e por isso estou zumbi. Escrevendo, viver dói. É como aquela sensação do dia seguinte ao começo da academia em que por via da dor, a gente descobre partes nossas que nem sequer sabíamos que existia. Escrever é a minha musculação da alma. Quando escrevo descubro partes minhas – pela dor – que eu não sabia que existiam. Confundo dor com vida. Tudo aquilo que sinto pela primeira vez, chamo de dor. Mas nem tudo é mesmo dor. É como um bebê, que chora porque sente um incômodo que não sabe o que é, e descobre que é fome porque sua mãe lhe enfia o peito, vazando leite, goela abaixo. É como uma pré-adolescente que descobre que seu paquera está a fim da sua amiga peituda. Dói. Dói porque não se sabe o que está acontecendo. Talvez seja angústia. Não sei nomear. Nunca senti antes. Isso vai me matar, penso. Mas aí passa. Sobrevivo. Então sei que isso não mata. É um perigo descobrir que determinadas coisas não nos matam, por isso as pessoas que sofreram são perigosas. Elas se sabem fortes. Eu sofro de amor correspondido. Sei que disso não morro, mas nem por isso dói menos. É difícil ser amada de um jeito diferente do qual a gente ama. Suportar que o amor do outro por nós é diferente arranha o peito. Amar e ser amada é esbarrar nas próprias fraquezas numa parte do tempo e atropelar as fraquezas alheias noutra parte do tempo.

O amor é uma conversa de fraquezas e de franquezas. Mas dizem que o amor é para os corajosos. Há que ter muita coragem pra entrar num jogo de fraquezas, em que quem perde é que ganha.

Me beije a boca do estômago

Minha alma quer fugir do meu corpo para se fragmentar por aí. Quero entrar em combustão espontânea e tirar férias de mim. Preciso de uma existência que formigue, de um amor-tecido. Quero deitar minha cabeça em seu peito, e então parar de respirar, enquanto o sangue que corre pelas suas veias ande cada vez com menos pressa, até então, p a r a r junto com o meu.

Te quero lambendo a minha alma. Me beije a boca do estômago. Abrace o meu sorriso triste. Meus olhos cansados pedem cafuné.

Ah, que palavras deprimentes. Parece tristeza, mas é só cansaço de ser.

Roube-me de mim, por favor.

Perguntas

Será isso o amor?

Quando duas pessoas não suportam ficar longe uma da outra mesmo quando não suportam uma a outra?

Quando os corpos, dormindo, se colam, mesmo que os olhares se desviem quando acordados?

Quando o amor coexiste com o ódio, se recusando a ir embora mesmo enquanto odeia?

Quando se é invadido por uma imensa braveza pelo fato do outro ser quem ele é e não quem se queria que ele fosse, mesmo que se ame o outro justamente por ele ser ele mesmo – esse estranho?

Quando os corpos se esbarram, cada um derramando um pouco de alma no outro e, sem perceber, cada um bebe um tanto da alma do outro, pensando ser a própria?

Quando cada um não consegue saber exatamente o que é seu e o que é do outro, porque já não é mais o mesmo que era no início? Será por isso que quando os casais rompem, é tão difícil separar as coisas materiais de um das coisas do outro? Seria um jogo de metáfora para os corpos e almas – que se tornaram impossíveis de separar, mas também impossíveis de tolerar?

Seria isso o amor? Quando se chega a acreditar, por centésimos de segundos, que já não se deseja tanto o outro, na tentativa de se fortalecer, mas em seguida se é atropelado pelo saber do impossível de se desejar menos o outro, enquanto ele for ele mesmo – esse outro?

Seria isso o amor? Esse impossível de se satisfazer, cuja insatisfação mantém aceso o desejo de se satisfazer um pouco mais, mas que de vez em quando se transforma em desejo de acabar com tudo?

Seria isso o amor? Esse abominável excesso de desejo? Algo que deixa as neuroses e paranoias se infiltrarem tão facilmente?

Seria isso o amor? Um outro nome para a loucura? Ou seria o amor essa necessidade de dar outros nomes para aquilo que, em tese, já existe, mas que no fim das contas não existe, porque não há amor que não seja único?

Será isso o amor? Uma escrita... uma invenção... um batismo?

Sonho compartilhado

Ela abre os olhos, se senta na cama e enquanto se espreguiça torcendo a coluna primeiro pra direita e depois pra esquerda, sentindo o cetim da camisola pérola fazer cócegas em sua cintura, sente um toque em seu pescoço. Primeiro é um toque suave e depois se torna brutal. São dez dedos em volta do pescoço dela, mas a intensidade do aperto é tamanha que ela sente como se fosse apenas um grande dedo, como se fosse um cachecol agressivo, que dificulta sua respiração. Os dedos dele são tão longos que quase dão a volta inteira naquele pescoço. Ela se excita, e para não se perceber excitada, se deixa tomar pelo susto. Um, dois, três, trinta, sessenta segundos, dois minutos e meio. A excitação é afogada pela angústia. O que está acontecendo? Ela pensa alto, mas sem conseguir falar. Ele responde, com uma voz firme e tranquila, "Você acha que eu não sei? Acha que não conheço aquele Marcos? Sua puta, você estava dando pra ele agora há pouco que eu vi". Foi um sonho, ela pensa, sem conseguir dizer pra ele. Mas ele escuta os pensamentos dela. Ele não perdoa que tenha sido um sonho. Que tenha sido um sonho não a isenta da responsabilidade de tê-lo sonhado. Ela estava nos braços de outro, mas então acordou, acordou! Ele a continua xingando, ela não entende como ele pode ter visto o sonho dela, ela olha para o rosto dele, mesmo ele estando atrás dela e ela não conseguindo virar o pescoço, como isso é possível? Ele continua falando palavras duras pra ela, cada vez mais alto, embora não mexa os lábios, ela cogita se desculpar pelo sonho, mas acha um absurdo que ele se enraiveça a esse ponto por causa de um sonho e se enche de raiva ao sentir que teve sua intimidade agressivamente violada, como ele ousa assistir ao sonho dela? Decide que é melhor morrer do que ficar nessa angústia de nem sequer poder sonhar sozinha, mas os dedos dele não a sufocam suficientemente pra que ela morra, ela apenas tem muita dificuldade para respirar, não consegue falar, mas sente que levará muitas horas, talvez dias ou semanas ou mesmo vidas para morrer assim. Ela se angustia porque não morre nunca e não consegue dar sentido praquilo, quando então escuta a canção "all we need is love" vir do seu celular, abre os olhos, ele está dormindo ao lado dela, e ela está com o nariz entupido. Parece uma gripe forte.

Cinquenta e seis

"Quantos homens você já teve?" ele perguntou, desviando o olhar na segunda metade da frase, pedindo para que ela não fosse sincera.

"Não sei", ela disse, encarando-o, rindo um riso nervoso, na tentativa de que ele não escutasse os seus pensamentos, que gritavam "cinquenta e seis!". Havia outra leva de pensamentos que tentavam gritar mais alto, mas começavam a gritar com certo atraso "não sei, não sei, não sei, não sei mesmo", eles diziam.

Ela se sentia tão conectada a ele que era impossível acreditar que ele não escutava os pensamentos dela. Tudo o que era dela parecia que estava ao alcance dele. Até as partes dela das quais ela nunca havia se apropriado. Ele conhecia as sardas das suas bochechas e as pintinhas dos seus genitais. Ele sabia que antes dele ela gostava mais de merlot ruim do que de qualquer vinho da Califórnia, ele que a fez perceber que ela saía irritada da casa da mãe dela e manhosa depois dos almoços com o avô. Ele contou a ela quase tudo que ela sabia de si, mas nunca disse que ela sempre tinha sido assim ou assado ontem ou num passado distante. Diante da presença dele era como se ela não tivesse tido um passado e sequer houvesse um futuro.

Os olhos dela pesavam, estranhamente deixando-a mais leve. Era como se ela tivesse a existência dividida com ele. Mesmo quando o corpo dele pesava em cima do corpo dela e ela nem sequer conseguia respirar direito, ainda assim era mais leve viver com oitenta quilos em cima dela, mas com a alma borboletando, do que sozinha – sempre enclausurada dentro de si.

Ela sempre sentiu claustrofobia dentro do seu corpo. Dizem que a gente não tem um corpo, que nós somos um corpo, ela se lembrava, mas ela nunca pôde se apropriar integralmente do corpo que habitava. Aquela que ela via no espelho era sempre um tanto dela mesma e um tanto de outra que não era ela. Mas quando ele a olhava ela se sentia tão si mesma! É bem verdade que a menina que ela via nos olhos dele não coincidia plenamente consigo mesma. Mas ela também não se importava que isso acontecesse.

É por isso que ela secretamente sabia que quando gritava "cinquenta e seis" em pensamento ele não escutava, e que a tentativa de gritar "não sei's" era puramente pra que ela se mantivesse fixada no delicioso delírio de acreditar que os dois eram um em algum lugar. Se não ali, em outro tempo, em outro planeta, em outra dimensão, em outro corpo. Era isso.

"Cinquenta e seis? TUDO ISSO?" então ele pergunta, olhando para ela com os olhos muito abertos. Ela sente sua visão borrar e passa a duvidar de que estava mesmo acordada, se lembrando do dia em que pensou que ele nem era tão bom de cama assim quanto o seu beijo a fazia pensar que era e se entristecendo por saber que ele sabia que ela pensou aquilo e mesmo assim a levou pra jantar no seu restaurante preferido depois. Ela pensa no que será dela, no que será deles, quando o escuta completar a frase: "Cinquenta e seis reais numa salada de atum? Essa gente está louca!".

Quando ele dorme

Quando ele me toca fico sabendo de coisas que não sei. Pela temperatura que sinto na pele dele, sei se a pele dele está ou não está interessada na minha. Há dias em que fazemos amor com cada pedaço nosso: barriga, sexo, intestinos, cabelos, baços, têmporas, fêmures, pescoços. Há dias em que a pele dele só sabe me esfriar. É quando ele está frio por dentro. Não se trata de ser carinhoso ou rude, mas de uma disposição para a vida. Quando ele gosta de viver, minha pele o deseja ardentemente e bebe do desejo dele de sair de dentro de si e se relacionar com o mundo. Quando ele não gosta de viver, pode até querer a junção da carne, pode até estar quente, pode até me despertar o desejo de conversar com ele pela palavra, mas jamais pelo corpo. Mas quando ele dorme tudo se modifica. O desejo de estar junto se transforma em desejo de estar ainda mais junto, de me cobrir com a pele dele, de respirar com os pulmões dele, de sonhar com o inconsciente dele. Meu corpo acorda o desejando no instante em que ele dorme. Olho sua barriga subindo e descendo, escuto a vida passar silenciosamente pela respiração dele e por alguns barulhos que sua barriga faz e sou tomada por uma paz assustadora. Todo erro será perdoado quando ele estiver dormindo. O amor que tenho por ele, quando ele dorme, é assustador.

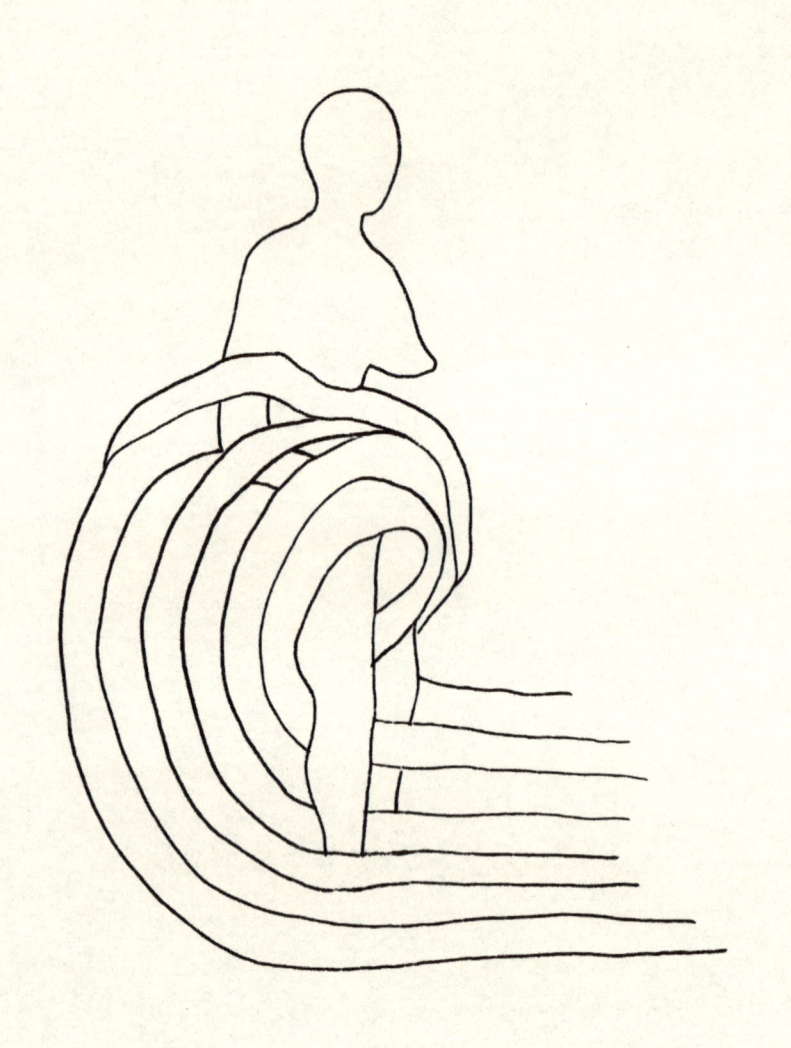

Navalha

Sonho com o dia em que eu vou te cortar com uma navalha. Quando nossa vida estiver em preto e branco há muito tempo, um vermelho seu haverá de salvar nossa imagem perante o mundo.

Não se preocupe, pois não irei cortar sua jugular. Não se enerve demasiadamente, pois não irei cortar seu órgão precioso. Farei um pequeno corte na sua bochecha, ou talvez em sua barriga, braços ou costas.

Quero bastante pele, bastante pele branca, para que um pouco de sangue seja o suficiente para causar muito estrago. Quero escutar o som do fio da navalha terminando os relacionamentos entre suas células, será música para o meu coração. Quero ver cada pedacinho do seu branco ser tingido por um vermelho com textura de veludo líquido. Quero lamber a borda da maior mancha, sentir um gosto de chave na boca e me questionar se fechei o portão de casa. Quero ensaiar a finalização do processo com um beijo que será leve na sua pele e forte na minha boca. Quero ensaiar outra finalização com um beijo estalado na sua pele branca ao lado mais distante da última gota de sangue. Quero escutar sua pele inteira se retorcer por apenas uma pequena porcentagem dela ser tocada pelo fio da navalha. Quero fazer outro corte mais forte, depois que você respirar fundo achando que terminou. Quero repetir esse processo até que você não consiga mais respirar e fique angustiado sem saber se respirar é permitido sem que eu lhe machuque. Farei, então, um corte pelo telefonema que fiquei aguardando de você, três cortes pela vez em que lhe beijei sozinha, pois você apenas me ofereceu os lábios, em vez de fazer o movimento de sucção, dois cortes – um paralelo ao outro – pelo olhar que você não me deu quando eu precisei. Farei um corte exatamente em cima do outro por cada pensamento que você teve em que a mulher desejada não era eu. Pode ser que eu serre o seu osso. Talvez eu lhe mate. Mas juro que não foi por mal.

Necessidadezinhas

Uma necessidade de sentir meu corpo que se transformou em pequenos cortes que marcam minha existência como sendo minha e não do outro. São cortes para mim. Faço-os onde ninguém os vê. Faço-os em lugares que não me demandarão usar blusas de manga comprida em pleno verão, coisa que certamente chamaria tanta atenção das pessoas quanto fazer os cortes em lugares óbvios.

Uma necessidade de existir menos, que se transformou em uma urgência em não comer, para que meu corpo se torne pequeno, bem pequeno, na tentativa de que a minha existência passe despercebida – mas não ao ponto de perder o limite, coisa que chamaria a atenção das pessoas, que certamente desenvolveriam o desejo de me alimentar.

Uma necessidade de me reconhecer no espelho para além da minha imagem, que se transformou numa impossibilidade de me reconhecer naquilo que aparece refletido, ao ponto de eu escrever palavras por todo o meu corpo, e nua, pôr-me diante do espelho, para finalmente poder me reconhecer pelas palavras que o meu corpo carrega.

Uma necessidade de inventar coisas que eu não sou, de infectar meu desejo com todos os opostos de mim, para que eu possa saber que a minha existência não carrega um sentido intrínseco a ela, possibilitando que os meus contrários façam laço – e que eu ame os meus avessos.

Quando você não me quer

Não sentir o seu amor é me sentir demasiadamente. É ficar inerte e impotente diante da solidão que me violenta. É sentir minhas ausências se esvaziarem e ser reduzida a poeira de qualquer coisa sem uso para sempre. Sinto meu corpo pesar por muitos planetas e nenhum fluido corporal para em mim. Quando você não me quer, nada mais nesse mundo me quer. Eu não me quero sem o seu querer. Sou tomada pelo desejo das pessoas sem alma. Minha pele pede cortes. Como seria bom poder dizer olha, é aqui que dói. Vou fazer um curativo. Vai sarar. Dá um beijinho pra sarar? Quando casar sara. Casa comigo pra me curar? Mas tudo o que desejo é cortar a minha pele pra salvar a minha pele, pra salvar a minha alma da morte. É preciso causar dor quando não se sente prazer, para saber que se está vivo. Sei que estou viva porque a minha solidão me agride. E eu me permito ser rabiscada por ela. Permito por não ter capacidade de escolha. Quando não sinto seu amor torno-me objeto da pior parte de mim. Mas ser amada é correr o risco incessante de ser desamada, desarmada, desalmada. E odiada. Se sou suscetível ao seu ódio é porque sou amada por você. O quanto você é capaz de suportar me odiar sem me desamar? Qual é o ponto em que o ódio se torna mais forte do que o amor? Em que momento somamos mais incompreensões do que tolerância? De repente você me olha com olhos de estranho. Não sabe para quem olha. E aí não sei quem sou. E então deixo de me ser. Enquanto isso te imploro para que me veja. Para que me reconheça. Para que me possibilite existir no que há de melhor em mim.

Das urgências

Te amo com a urgência de um ansioso que estoura plástico-bolha.

Te amo com a urgência de uma borboleta que tem mais tempo de casulo do que pra voar – e com a cautela que se tem para manter contato físico com uma joaninha.

Te amo com o desespero de uma mãe que perdeu o primeiro filho por morte súbita – e que checa a cada vinte e sete segundos a respiração do segundo filho, nascido há treze dias e meio.

Te amo com a alegria de uma mulher que esperava pouco da vida e tem muito dela – mas ainda assim quer mais e, no entanto, está satisfeita.

Te amo com a satisfação que tem um adolescente que passou trinta e três dias acampando com os amigos no meio da floresta ao tomar banho com chuveiro a gás e enfiar cotonetes caros nos ouvidos.

Te amo com a necessidade de quem precisa dormir mas para isso precisa calar o poema que fica ecoando em sua cabeça – e por isso escreve.

Minha mãe

— Onde dói?

— Dói na minha mãe.

— Mas então não é em você, é nela?

— É em mim.

Há em mim um órgão do corpo que se chama minha mãe. Eu não o vejo, eu não o sinto, eu não o cuido, eu não o coço, não o lavo, não o visto, não o acaricio ou o arranho.

Há um órgão em mim chamado minha mãe, onde não é preciso passar repelente no verão porque o pernilongo não pica.

Há em mim um órgão chamado minha mãe, que transmite choques de dores que reverberam por todo o meu corpo.

Eu não consigo interromper essa transmissão por não saber onde minha mãe está em mim.

Há um órgão em mim chamado minha mãe que não se alivia quando escrevo. Há um órgão em mim chamado minha mãe que não se alivia nunca, nem mesmo quando estou com ela, ou principalmente quando estou com ela.

Há um órgão em mim chamado minha mãe, que excede o meu corpo e me faz sangrar sem sangue por dentro.

Há um órgão em mim chamado minha mãe que não é a minha mãe.

Corpalavra

Quando estou triste as palavras que moram em mim desaprendem a sair pela boca.

Pelos dedos, elas escorrem.

Tantas outras se recusam a se desprender do meu corpo...! Colam em mim como uma segunda pele interna, como uma endoderme.

Por estarem demasiadamente perto, não consigo lê-las. Não se pode ver os próprios olhos, o estômago não devora a si mesmo, quem está no furacão não enxerga o furacão.

É a possibilidade de escrever algumas delas que permite que eu me distancie minimamente de mim e consiga me ler um pouco.

Escrever é como criar um duplo, é como criar

um espelho que não reflete a minha imagem, mas as palavras que moram em mim.

Tem uma palavra que se chama tristeza numa artéria que liga o meu esôfago ao meu rim direito. Essa artéria não é feita de artéria, é feita da palavra tristeza. Tem uma palavra que se chama alegria que liga alguma coisa em mim a alguma outra coisa em mim. Mas dela não posso falar agora porque ela está dormindo. Não é que eu não fale dela por medo de acordá-la, eu falaria dela, se eu pudesse. Mas é que as palavras que dormem em mim não aparecem no espelho-palavra.

Escrevo para acordar as palavras dorminhocas que moram em mim.

Nem sempre funciona.

Da falta que excede

Você (me) partiu e levou consigo um pedaço de mim que eu não sei qual é. Sabe como é aquela sensação quando estamos indo viajar e repassamos mentalmente infinitas vezes tudo o que é preciso levar, mas nada parece faltar e ainda assim sabemos que algo está faltando? É assim. Retomo a minha vida, os meus objetivos, os meus amigos, os meus sonhos, a minha rotina, a minha dieta, os meus desejos, o meu corpo, os meus trabalhos, uma, duas, três, quatro, mil, dez mil, cinco milhões, quinze bilhões de vezes e tudo está aqui, exatamente onde devia estar. Mas então por que parece que algo me falta? Você nunca foi um pedaço de mim, eu sempre fui só eu mesma, sempre estive solitária embaixo da minha pele, você nunca pôde entrar nos meus pensamentos, nem se misturar aos meus neurônios, eu sempre dediquei o meu sistema límbico a você, mas ele continuou sendo só meu. Então de onde vem essa sensação de que algo me falta, se está tudo aqui? Que bruxaria é essa que cavou um buraco no meu peito fazendo faltar uma parte minha que nunca existiu? Sinto a sua falta como se eu tivesse tido em algum tempo um segundo umbigo ou um sexto dedo, ou um pescoço a mais. Você era o excesso de mim mesma. Você dava corpo aos meus excessos. Agora eu sou tão contida, agora estou tão eu mesma como eu não lembrava ser, que isso me dá repulsas. Não quero saber de mim como sou, quero a imagem embaçada que você me dava. Quero quase acreditar que me misturo a você, mas no fundo saber que continuo sozinha em mim. Quero saber de um modo discreto que continuo sendo eu mesma, não quero as minhas verdades tão escancaradas. Quero me distrair com as fantasias que tenho da mulher que eu poderia vir a ser ao seu lado. Quero sofrer de déficit de atenção de mim mesma. Quero que a realidade seja menos interessante do que ela realmente é. Quero acreditar que o tempo cura alguma coisa quando na verdade sei que o tempo não cura coisa alguma, ele só se oferece pra que a gente faça alguma coisa com ele. Quero fazer algo com o tempo, nem que seja virar relojoeira ou a repórter da previsão do tempo, como você acidamente me sugeriu quando anunciava a sua partida nas entrelinhas, de um modo covarde. Quero acreditar mesmo que você anunciou a sua partida de um modo covarde e não que fui eu que me esforcei para não enxergar o que estava obviamente escancarado na minha frente. Quero pensar que não perdi tempo com você, que valeu a pena, que deu certo pelo tempo em que estivemos juntos e que o nosso amor foi eterno enquanto durou porque o eterno está na intensidade das coisas e não na durabilidade delas, ainda que lá no fundo eu ache que isso seja tudo um grande blá-blá-blá de quem tenta escrever bonito por medo das merdas da vida. Mas quero acima de tudo te agradecer por trazer à tona todas essas sensações, porque nada diz mais de mim do que essa sensação excessiva de ser reduzida a mim mesma.

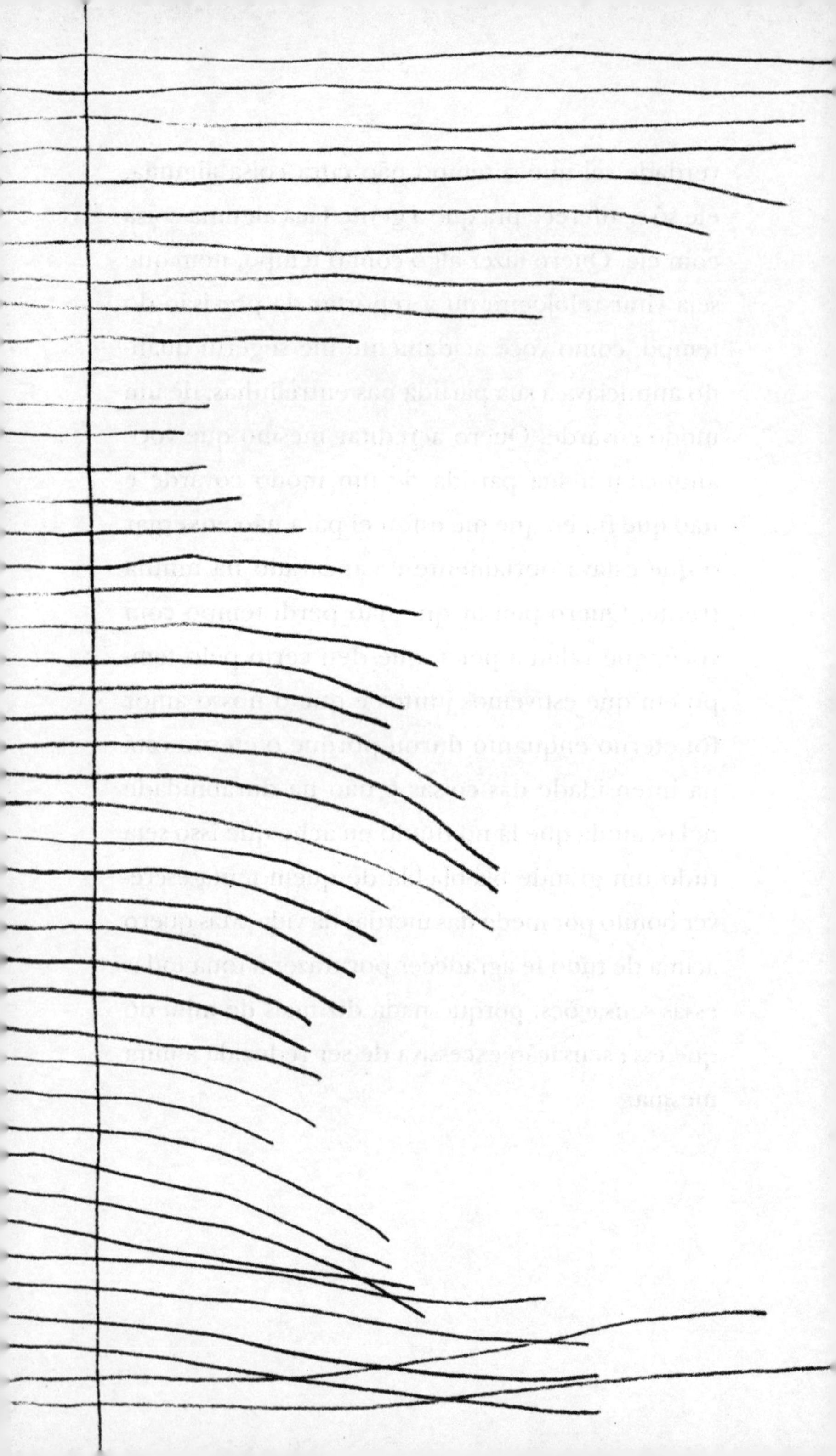

Do que esvazia

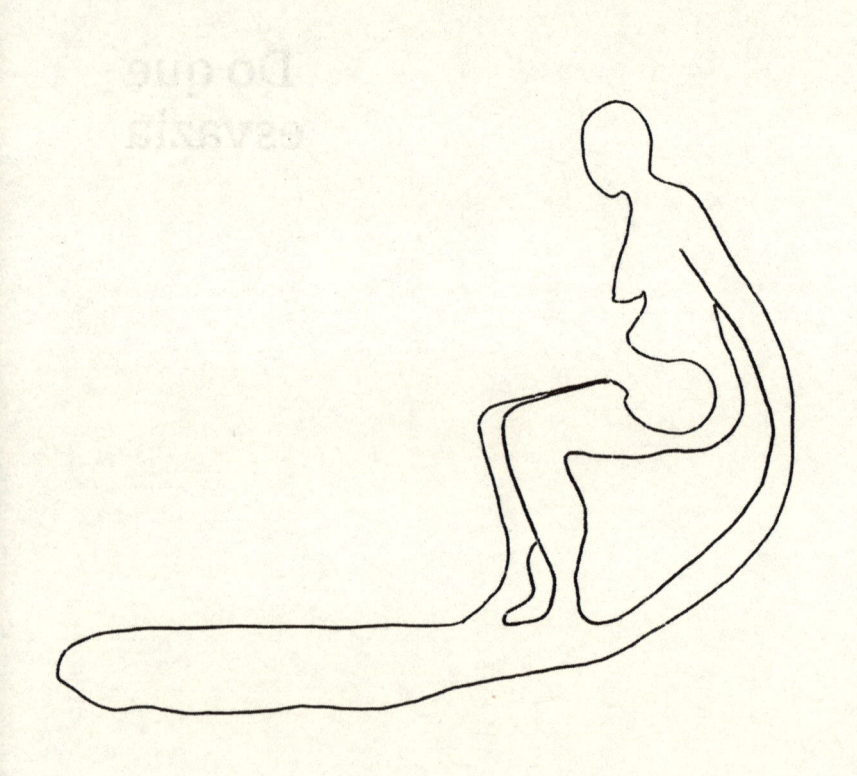

Primeira vista

Eu te olho, você rapidamente passa os olhos por mim e continua o passeio do seu olhar pelo ambiente. Eu continuo olhando porque não consegui desviar o olhar e então você retorna o seu olhar na minha direção. Sinto que há borboletas na minha barriga, me esforço pra afastar meu olhar do seu como quem faz um charme, porque me lembro que foi assim que minha mãe me ensinou. Que a sedução é um jogo, que a gente tem que estar ali, mas nunca inteiramente, que é sempre preciso deixar os caras levemente inseguros, mas não demais, senão eles desistem. Os homens gostam de se sentir os donos da situação, mas de no fundo saber que não são donos de coisa alguma, ela dizia.

Desvio o meu olhar e o volto para os seus olhos uns trinta centésimos de segundo depois. Você ainda está olhando na minha direção. Vejo que você usa uma camisa rosa, me apaixono por sua camisa rosa, penso que você não deve ser um imbecil preconceituoso, afinal de contas, usa cor-de-rosa. Ótimo, um homem que sabe respeitar as pessoas, que não tem medo de brincar com o que há de feminino em si. Certamente é um cara que suporta as multiplicidades da sexualidade humana, que maravilha!, nada mais sexy em um homem do que o respeito pelas pessoas. Provavelmente é alguém que não vai dar pitaco no meu decote ou no tamanho da minha saia, que vai se excitar em vez de se assustar com o tamanho do meu desejo. Ótimo, perfeito, continue vindo, mocinho. Olho para as suas mãos e vejo que você tem um anel na mão direita. Uia, será que é um anel de namoro ou de noivado? Ufa, é um anel prateado e, uuuufa, tem uma parte trabalhadinha ali na prata, então é só um anel, não é uma aliança. Sinto que os meus músculos dos ombros relaxam e que estou ficando excitada. Mas por que raios um cara usa um anel no anelar da mão direita? Deve ser porque acabou de terminar um relacionamento e o dedo sente saudades do anel, ainda que uma pessoa nem sinta mais saudades da outra. Será que sua ex é muito maluca e atormenta a sua vida ou será que ela já te superou? Espero que ela não encha muito o nosso saco, não tenho paciência com mulheres loucas, lidar com a minha própria loucura já exige muito de mim. Será que você vai vir com esse papo de ex louca pra cima de mim? Mesmo se ela for legal, ao menos espero que o nome dela não seja Amanda, acho Amanda um nome lindo, quero que seja o nome da minha filha, não vou aceitar um cara que tenha uma Amanda como ex. Espero também que o seu nome não seja Henrique, porque quero que seja o nome do meu filho e não quero um filho Junior ou um filho Filho, se identificaria demasiadamente ao pai e isso talvez lhe exigisse muito trabalho psíquico pra se diferenciar, porque claro, você deve ter defeitos que eu não quero que passem pros meus filhos, né? Tudo bem que você é lindo, sabe respeitar as pessoas, soube colocar limites na sua ex-louca direitinho, mesmo eu não caindo nesse papo de ex-louca, mas eu tenho um pezinho na realidade e bem sei que você talvez ronque, que talvez flerte com mulheres aleatórias quando não está comigo, que talvez, sei lá, enfim, chegue logo aqui, poxa! Já faz

4 segundos que estou esperando. Isso, tá chegando, já sinto todos os pelinhos do meu corpo se eriçarem, as borboletas da minha barriga começam a sair dos casulos. Paro de respirar para que você não perceba que comecei a tremer, de repente parece que conheço você desde sempre. Sinto que a cada passo que você dá na minha direção a minha alma se sente um pouco menos faminta, um pouco mais completa. Então você para na minha frente, abre a boca para falar, e, ai, meu deus, que boca linda você tem, deve ter um beijo macio, e aí "moça, dá licença?". E eu "como assim?" e então, olho para trás e percebo que estou em frente à porta do banheiro masculino.

Porre de você

Cada célula sua, cada pensamento seu, cada fio de cabelo, cada segundo da sua existência, cada pelo, cada excremento, cada dor, cada pedaço da sua infância, cada diálogo sobre amenidades com desconhecidos, cada instante do seu corpo vivo: eu queria tudo para mim.

E tive, na medida em que coube em mim, cada fiapo da sua existência. Me empanturrei das suas crises existenciais, das suas regras de como viver no mundo, das pequenas alegrias que regavam seus dias, dos sonhos e pesadelos que você podia lembrar e me contar, dos diferentes sabores que seus beijos espalhavam por mim, dependendo do seu humor.

Me embebedei da sua saliva e das lágrimas suas que não caíram.

Vivi numa rave ao som das batidas do seu coração, tomei os doces que escorriam das suas palavras.

Me entorpeci, me excedi, me droguei de você, excedi o limite de uma substância que não era eu mesma dentro de mim.

Hoje eu te vomitei. Acordei com mal-estar. Meu estômago revirava ao me lembrar das nossas cenas de amor. Ao me lembrar dos nossos diálogos algo parecia fazer da minha goela o sino de notre-dame com o corcunda pendurado. Fui ao banheiro e vomitei tudo o que tinha de você em mim.

Nunca mais vou conseguir abocanhar algo de você. Foi assim quando tive intoxicação alimentar de mariscos, nunca mais como mariscos. Será assim com você.

Nina

Era uma menina bem comportada. Demasiadamente educada. Limpa por fora e até nos pensamentos. Tão limpa que às vezes se cegava de tanto que a pele brilhava. Reluzia. Daí, quando seu excesso de limpeza lhe doía os olhos da alma, fazia uma má-criação. "Mãe, cala a boca!" E a menina era posta de castigo. A punição era ficar sozinha em seu quarto, com os seus cremes, brinquedos e o pequeno espelho. Então, a menina ia para onde lhe mandavam, feliz da vida que podia ficar sozinha sem ter a consciência doída por se isolar. Nem percebia se ofendia a mãe ou se deixava o pai bravo. Ia com a leveza de quem passeia no bosque depois da chuva, misturando-se à terra molhada.

Chegava no quarto e por sua própria conta, fechava a porta, selando o seu castigo e indo ao encontro de sua solidão. Daí, sem ficar triste, era atropelada por um pensamento de que queria morrer. Ou de que queria matar alguém, ou que poderia ter o poder de decisão de morte e vida em suas mãos, entre os seus dedos de unhas que já foram roídas. Certa vez o pai lhe prometera um aquário de presente, em troca de que a menina parasse de roer as unhas. Então, a menina largou o gosto que tinha pelo pedaço de dedo que continuava sem sê-lo, chamado unha. Não porque queria um aquário, mas porque o pai lhe tinha pedido olhando nos olhos, introjetando a palavra amor, sem dizê-la, dentro dela. Tanto é que ela nem ganhou o aquário. É que o pai não sabia que podia pedir sem prometer em troca. Coitado dele, que não conhecia a imensidão das forças de um pai. E Nina, então, pegava a sua unha que era forte graças ao pai, e forçava a tampa do pote de creme para cima, abrindo-o. E abria mais um pote de creme. E um perfume que ganhara de uma tia de olhos arregalados. E outro, que a fazia espirrar. Pegava, então, a pequena panela de plástico, toda cheia da areia fedida e de origem duvidosa do parque da praça, limpava-a com a parte comprida da manga do pijama amarelo cor-de-vaca, e ali mesmo se punha a misturar a sua poção de mescla de cheiros, em busca do poder de vida e morte. Achava que os cheiros, juntos, se tornariam veneno do bom. E daí poderia matar alguém. Poderia até se vingar em pensamento, pensando que se quisesse, matava a Bruna do cabelo mais comprido que o dela, ou a vizinha que não guardava os brinquedos depois de usar. Distraía-se entre pensamentos cheirosos e desejos fedidos. De repente, a mãe abria a porta do quarto da menina e dizia algo como "Sai daí que o castigo já acabou". A pequena saía do quarto feliz e maior.

Soneto de infidelidade

Tem uma vertigem me comendo. Entrou pelo meu umbigo quando eu ainda tinha um cordão umbilical que me ligava à minha mãe. Talvez tenha sido ela quem me transmitiu essa vertigem. E talvez por isso tenhamos uma relação esquisita. Amo tanto a minha mãe que se eu chegar perto demais, dói. Então me distancio para poder respirar. A minha vertigem, quando encosta na vertigem dela, dá uma espécie de curto-circuito onde saem faíscas de amor. É terrível quando isso acontece. Quem já amou, bem sabe que o amor machuca. Tal como a felicidade dói. Sentir é sempre dolorido. Mesmo quando sentir é bom. Chamo de dor tudo aquilo que me afeta. Sou masoquista da existência. Odeio sentir dor, mas odeio ainda mais não sentir. Sentir nada é a própria loucura. Prefiro o desespero das cócegas do que a agonia do silêncio do corpo. Mas sentir só é bom se tiver intervalos. Qualquer coisa só é boa ou ruim quando nasce de um intervalo. Entre eu e mim existe um intervalo. Um intervalo enorme, parece um precipício. E esse precipício é mais do que eu, é mais do que mim. Pertenço a esse precipício. Estou sempre sendo seduzida por ele, ao mesmo tempo em que me esforço para me distrair com outras coisas da vida. Tenho uma forte tendência à loucura, mas disfarço com resignação. Finjo para mim mesma que sou resiliente, e então acredito, e então pareço ser. Sou falsa comigo e faço de conta que não sei. Mas não faço isso por pura falsidade, é por não saber fazer diferente. É como se essa falsidade fosse o modo de sinceridade que tenho comigo. Desde sempre sou infiel a mim, e essa é a minha mais profunda fidelidade.

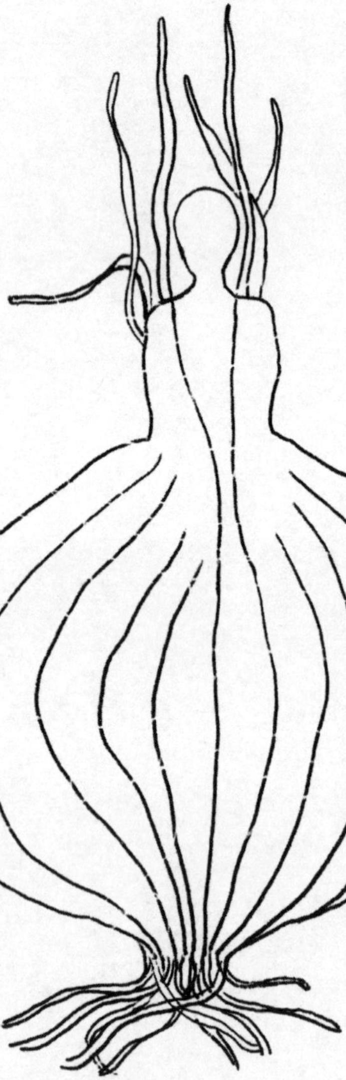

Já não nos somos

Despido de mim, você não se parece com você. Ao menos não se parece com o homem pelo qual eu me apaixonei. Seus olhos, agora salões de festa onde tudo acontece, menos festa, denunciam que meu corpo não faz mais morada aí.

Sua pele já não me cochicha coisas sobre uma vida que eu vivi e não lembro. Sua respiração não exala mais átomos que me esvaziam do que os outros querem pra mim.

Houve um tempo em que eu me sentia leve com você, conectada a mim mesma. Houve um tempo que não é agora. Fico procurando no seu olhar restos mortais do nosso amor. Desesperada, jogo a culpa do nosso final em você, te enlouqueço para que você diga verdades doloridas sobre mim, na expectativa de que a ferida que carrego na alma onde jaz o nosso amor possa ser limpa com palavras ardidas. O que arde cura, penso, lembrando dos ditos da avó que eu não tive, mas que gostaria de ter tido, e faço do dito que ninguém me disse um mantra. O que arde cura o que arde cura o que arde cura o que arde cura. Assim levo você a ensanguentar minha alma, a rasgar os cortes que o fim do nosso amor causou em mim. E assim uso você para me machucar, com a desculpa de que estou tentando me curar, no entanto nem eu mesma acredito que o que arde cura.

Nem tudo o que arde cura.

Te expulso de dentro de mim, me esforço para isso, é como um parto que não é natural, que não é humanizado, que é uma cirurgia feita por alguém que não é profissional e que nem sequer tem instrumentos para isso.

Assim me submeto a mim mesma a uma cirurgia diária, que dura sete meses. Todos os dias excluo manualmente uma dor de alguma lembrança que vivemos juntos. Às vezes erro a medida da força da exclusão e lá se vai embora uma lembrança inteira, em vez de ir apenas a dor. Por erro médico amador perdi algumas viagens de férias e acho que uns anos-novos também. Alguns aniversários, vários fins de semana. Enfim. Mas em algum momento me sinto mais leve. Sei que, ao excluir você da minha vida, excluí também parte de mim. A fórceps, começo a me sentir possível de ser outra.

Quarenta e tanto

Ela queria muito do amor. Beijos que colassem os lábios para sempre até daqui a pouco; peles que virassem uma só eternamente, por dois minutos e meio; declarações de amor que nem por um instante parecessem duvidosas, mas que não fossem piegas; brigas que terminassem em explosões definitivas de amor.

Ela não tinha tudo o que queria do amor. Os beijos nem sempre se encaixavam (vez em quando o pegava de olhos abertos durante o beijo e ele se defendia dizendo que ela só tinha visto porque também estava de olhos abertos); quando a pele dele a tocava, ela sentia que havia ali uma comunicação extraordinária entre eles, mas que se encerrava assim que suas peles se separavam, e ele sempre separava as peles mais rápido do que ela gostaria; as declarações de amor não vinham por palavras; a maioria das brigas terminava num enorme silêncio.

Ela não sabia que tinha mais do amor do que podia receber. Ele a beijava de olhos abertos porque para ele o amor estava em ver as bocas coladas, e ele era tão fanático pelos lábios dela que queria enxergá-los o tempo todo, não só senti-los; quando as peles deles se tocavam, ele não só sentia que a comunicação entre a pele dele e a pele dela era extraordinária, como rapidamente sentia que se aquilo durasse mais ele não poderia mais retornar ao próprio corpo, se fundiria a ela, e então rapidamente se afastava; as declarações de amor vinham pelo silêncio de todas essas sensações, pois se ele falasse, cairia no abismo do amor; as brigas terminavam para ele em enormes crises existenciais, em que ele não parava de se perguntar por que continuava ali se ela era tão ameaçadora para ele, e então se calava para não ceder ao impulso de acabar com tudo apenas por medo. Era preciso se manter silencioso para poder continuar beijando-a e tocando-a. Amá-la sem enlouquecer somente era possível através do silêncio.

E porque ela não sabia disso e ele se recusava a dizer, porque não sabia como dizer, e também porque não sabia que era importante dizer, e também porque tinha medo de dizer, e também porque era impossível dizer sem que a coisa mudasse radicalmente no instante seguinte (dizer algo é também alterar esse algo – por isso falar é perder); ela reclamava da falta de amor dele (ou da falta do amor que ela achava que deveria receber, pois não podia receber o amor como era, só como achava que deveria ser); e porque pensava que não era suficientemente amada (nunca se sabe pelo que se é amado e nunca se é amado por aquilo que se pensa merecer amor), ela foi embora, recitando clichês com o peito estufado de orgulho "comigo é assim, ou oito ou oitenta", e foi assim que ela perdeu um quarenta e tanto.

Me deixa

Será que você consegue partir sem me partir? Será que se você for, pode então, não voltar? Será que se você for, pode, por gentileza, me levar toda com você ou então me deixar inteira aqui? Veja, não estou pedindo para que fique. Só estou cansada de você ir e levar pedaços de mim. Estou farta de você retornar e encaixar as peças que você levou de mim nos buracos que você mesmo me causou. Decidi que esses furos que você me faz não devem mais ser preenchidos. Preciso aprender a conviver com os meus vazios. Mas aí quando estou me acostumando com eles, depois da fase de tentar preenchê-los com carboidratos ruins, gente canalha, antidepressivos, ansiolíticos e álcool, quando começa a rolar uma química aqui entre mim e os meus vazios, você retorna com as peças que me faltam e aí eu não aguento e me deixo ser toda inflamada de desejo de ser preenchida pelos pedaços meus que você carrega. Então você decide partir de novo, e com isso me deixo partir mais uma vez, você leva novos pedaços meus, eu dou à luz novos vazios em mim, tento preenchê-los em seguida com imbecilidades, não consigo, e quando estou me apaixonando pelas ausências que moram em mim, bam!, lá vem você se aproximando de mim de novo e de novo e mais uma vez, num looping infinito. Por isso da próxima vez que você chegar, por obséquio, respeite a placa que pendurei em mim: "é proibido preencher os meus vazios".

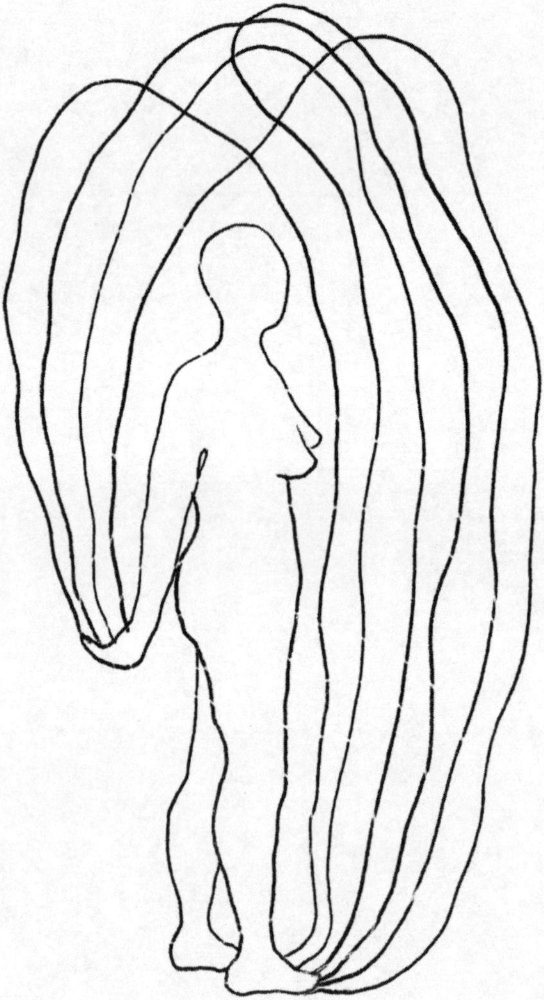

Vazio de vazios

Seu vazio tocou no meu vazio.
    Meu vazio comeu o seu vazio.
    Agora o seu vazio está em mim.
    E o meu vazio está cheio
    Do seu vazio.
    E o seu vazio está vazio
    Do meu vazio.
    Há algo pior do que estar
    Vazio de vazios?

Desinvenção

Já faz 14 rugas que nos separamos. Há 16 celulites que você foi embora. Há 8 quilos eu não sinto a sua pele acordar a minha. São 5.110 dias sem você, 122.640 horas sem a sua presença, meia cabeça de cabelo branco, chamados carinhosamente de "loiros alternativos" pelo meu cabeleireiro novo. É estranho perceber que você foi completamente reduzido a números na minha vida. Quando você foi embora eu tive certeza de que morreria de dor na alma – teria sido mais fácil se isso tivesse acontecido –, depois me conformei com o fato de que a minha avó dizia a verdade quando jurava que ninguém morre de amor, e aos poucos me acostumei com as minhas dores. Depois me apeguei a elas – o ser humano é terrível, se acostuma com tudo –, depois, ainda, me apeguei aos efeitos colaterais dos antidepressivos, aí descontei minhas infelicidades na comida, depois recuperei algum bem-estar na reeducação alimentar. Então, reencontrei um pedaço da minha autoestima nas próteses de silicone e só agora me dou conta de que nem você e nem as pílulas que o médico me receitou trazem mais notícias de mim. Já não consigo sequer acreditar que um dia eu amei você, que um dia tivemos coisas em comum e que passamos um bom pedaço de vida juntos. Esqueci como você se dava bem com a minha família, me parece que foi em outra vida que quando você piscava pra mim só com o olho direito com cor de quem seduz-sem-querer-querendo, uma parte obscura minha se derretia toda, que nem chocolate bom na boca. Não me lembro mais de sentir amor ou raiva por você e nem por que raios eu não te mandei embora antes de você ir, se no fundo me parece que eu nunca te amei de verdade, só dei uma enlouquecidazinha que me custou caro. Você me causou demência da mulher que fui. Pensei que, das coisas que vivemos juntos, me restariam as lembranças e as fotos. Mas não sou eu naquelas fotos, é apenas alguém que se parece muito fisicamente comigo e as lembranças que tenho parecem ser da vida de outra pessoa. Nada do que vivemos diz de mim. O tempo levou tudo embora. Faz 150 momentos de alegria eufórica que você se foi. São 377.254 instantes de paz desde que fecho os olhos e você não está dentro de mim. Faz quase 20.000 tesões que meu corpo não se lembra de você. Há 1.652.002 brilhos nos olhos que você não aparece por aqui. Às vezes tenho a sensação de que inventei o que eu senti por você assim como eu inventei todos esses números para desinventar você. O que eu invento e desinvento é muito mais verdadeiro do que a realidade, essa senhora fajuta.

Do que conecta

Quando você foi embora levou o brilho nos olhos que eu nem sabia que tinha, levou o vigor que eu tinha ne pele sem nunca ter percebido, levou o levíssimo frio na barriga que eu sentia todas as manhãs e achava que era vontade de ir ao banheiro, levou o brilho dos meus cabelos que ficaram opacos, levou a força que eu tinha para pôr ordem na rotina dos nossos filhos, levou o meu automatismo de varrer a casa todos os dias, levou a minha obsessão por lençóis muito esticados, levou os deliciosos choquinhos que eu sentia embaixo da língua quando comia carne mal passada, levou o gosto de todas as comidas, levou a sensação de entorpecimento que o vinho me causava, levou a minha concentração para trabalhar, levou a cor e o calor dos móveis da casa, levou a minha capacidade de supor que entendo algo do mundo.

Por algum motivo, todavia, eu fiquei. Ou, ao menos, algo de mim que faz com que eu ainda me reconheça apesar de tudo. É tempo de me reconstruir. Mas para fazer uma re-construção é preciso, antes de tudo, encontrar um bom chão. É certo que eu tenho algum, visto que eu não enlouqueci, ou que não enlouqueci o suficiente para parar de me preocupar com a realidade. Nossos filhos estão bem, nem sequer apresentaram os famosos problemas de comportamento, falta de educação ou de notas, o que me faz entender que não estou inteiramente mal. Costumo dizer às pessoas que os nossos filhos (que agora chamo de meus) são o meu chão. Mas é certo que isso é peso demais a uma criança, ser o chão de alguém. E é certo que se eles fossem o meu chão mesmo, e sendo eles a encarnação da maior conexão que continuo tendo com você, eu teria pirado. Então, há algo antes dos nossos filhos, que é o meu chão.

Tento lembrar como era a minha vida antes de você, visto que de chão não se muda, mas as lembranças que consigo evocar me são tão vagas que mais parece um filme. Me lembro de um, dois ou três ex-namorados e sou pega pela lembrança de ausência de chão desde os meus doze anos de idade, com um amor platônico que eu tinha na escola. Eu já tinha um chão para perdê-lo, desde tão jovem? É claro que eu tinha.

Me dou conta, então, de que o meu chão não são os nossos filhos, meu saldo na conta-corrente, a juventude do meu corpo ou o seu amor por mim, mas a minha capacidade de devanear. Estou descrente da vida tal como fiquei aos 12 anos de idade. Mas naquele tempo tudo passava muito mais rápido. Agora o tempo parece ser eficaz fora de mim, mas não aqui dentro. Talvez seja por isso que eu ande vomitando tanto – uma tentativa de conectar meu lado de dentro ao meu lado de fora. Talvez, então, nossos filhos realmente sejam o meu chão, pois mais do que me conectarem a você, conectam o meu lado de dentro – meu útero, minhas vísceras, minha genética – ao lado de fora – a vida.

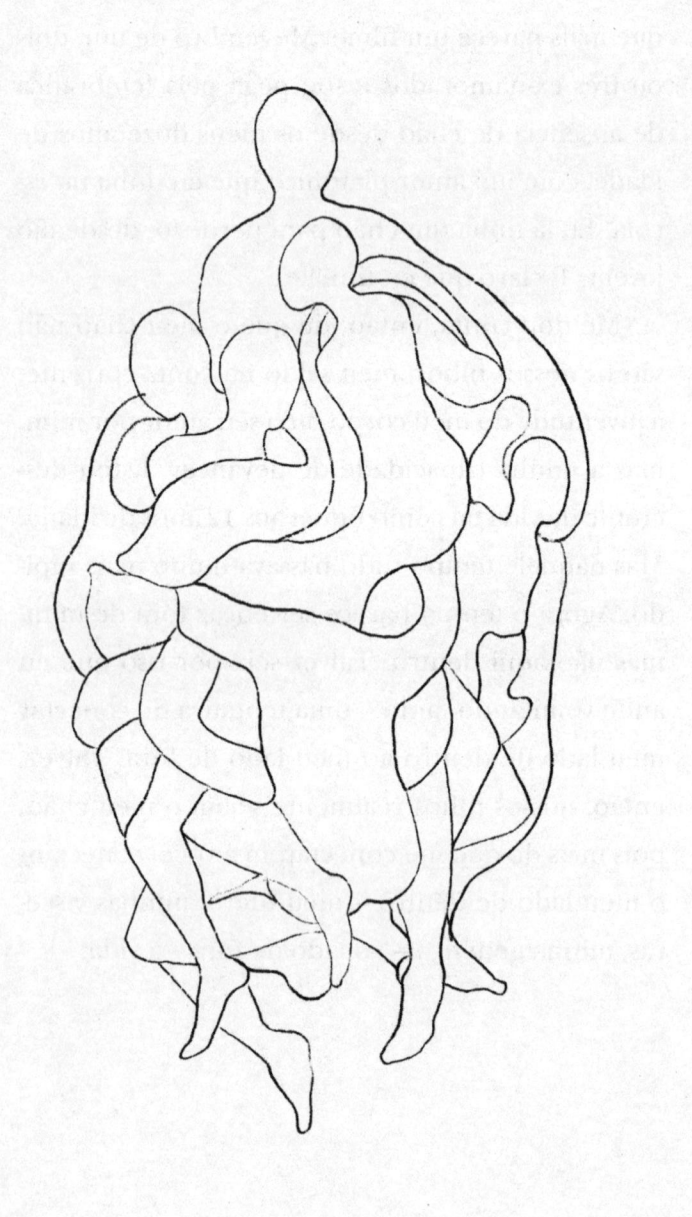

Autofagia

Meu corpo deseja o seu corpo vivo. Mas o corpo seu que está aqui é outro. Seu corpo está morto e gelado, embora não pare de se mexer, com sua irritante síndrome das pernas inquietas e ranger dos dentes, é um corpo que não mexe mais comigo.

No entanto o seu corpo vivo, que tanto desejo, já não está mais em você, mas em mim. Seu corpo vivo está impregnado nas minhas vísceras, decorado com as minhas tripas, enroscado na podridão da minha existência.

Queria poder separar-te de mim, queria limpá-lo e garantir que aquilo que é seu e aquilo que é meu ficasse marcado por uma distância mínima. Acho que é o que você tentava fazer com o guarda-

-roupas. Olha, esse lado é seu, aquele é meu. Mas que raios está fazendo a sua camiseta entre as minhas? Oras, é só uma camiseta, não seja tão ranzinza, eu dizia, sem ter a menor ideia de que não era a minha camiseta que invadia o seu guarda-roupa, mas era eu com todo o meu exagero no amor, que assaltava a sua subjetividade. Então, ao seu modo, você sempre se separou de mim. Eu só me dou conta tardiamente do quão isso é necessário. E agora já posso fazer isso sozinha, preciso que você me ajude. Olho para dentro de mim e não sei o que é seu e o que é meu. Preciso saber o que é seu, para poder lhe devolver.

Contudo, você não pode me ajudar, por estar soterrado em mim. Você está bem vivo dentro de mim, ainda que o meu desajeitado modo de te amar esteja vampirizando a sua existência. Fora de mim, seu corpo parece morto. Seu toque é gelado ou sou eu que não sinto mais o seu calor? Seu olhar não se fixa mais a um ponto ou são os meus olhos que se distraem demasiadamente fácil dos seus?

E esse vazio, que está morando em mim, é meu ou é seu? Eu sempre tive um vazio em mim, mas agora parece que esse meu vazio está cheio de outros vazios, que já não sei se são filhos dos meus vazios ou se são os seus malditos vazios enchendo o meu. Eu sei que você resistiu a me amar, que lutou o quanto pôde para manter o mínimo de distância entre nós, como que estando advertido do caos que faríamos com as nossas almas se nos aproximássemos demasiadamente.

Pode ser que o amor esteja justamente em saber a medida de aproximação e de distanciamento – ainda que se faça bom uso dela sem saber. Esse emaranhado de existências, em que já não se sabe o que sou eu e o que é você, certamente não se chama amor. Talvez se chame excesso de amor. Será que o excesso de amor mata o amor? Eu acho que sim. É como um estômago se autodevorando. O Google me disse que o estômago não devora a si mesmo porque há um muco que o protege dos próprios sucos gástricos que ele produz, a fim de digerir o alimento. Eis que no amor também é assim. Alguém tem sempre que dar um passinho pra trás para garantir o muco protetor do amor, que impeça que um devore o outro. No momento em que você titubeou no passinho pra trás, começou o nosso autodevoramento.

E assim, o nosso excesso de amor tem matado o nosso amor, um pouquinho mais a cada segundo.

Acho que terei que esperar que a parte sua se corroa dentro de mim pra que eu possa conseguir recuperar os meus contornos. Mas como permitir que o amor morra em mim, sem que eu morra junto com ele?

Espelhos

Sei que te amo porque sinto saudades mesmo quando estou perto de você, colada a você. Perto nunca é perto o suficiente. E por querer estar ainda mais perto, duvido da distância entre nós. Penso ser capaz de ler seus pensamentos, de saber o que você pensa das minhas amigas, de ouvir sem você dizer seus comentários sobre as notícias do dia. Penso que você sabe mais de mim do que eu mesma, visto que é quase parte de mim, sem, no entanto, ser parte de mim. Estou demasiadamente perto de mim e por isso não posso me ver com nitidez. Já você, pode. No entanto, o que ignoro é que há uma estrada entre nós. Embora você possa me ver com clareza, só sabe me ver a partir dos seus olhos, a partir da sua vida, a partir dos seus traumas e das suas alegrias. Então quando você fala de mim, fala de quem eu sou para você. Mas quem eu sou para você não equivale a quem eu sou para mim. Eu queria ser vista pelos meus próprios olhos sem que eu fosse eu mesma. Queria me duplicar, para me ver de fora, sem deixar de me ser. Só eu posso dizer de mim, no entanto, por me ser, não posso confiar no que digo. Quando olho no espelho, a imagem ali refletida parece revelar apenas um pedaço muito frágil de mim. Quando escrevo, as palavras que saem de mim parecem carregar tanto dos outros que nem sequer as reconheço como minhas. Há uma estrada entre nós e isso me apazigua. Mas o que, de fato preciso, é de uma estrada entre eu e mim.

O vazio do sol

O sol tem luz própria, a lua tem luz própria, mas eu sou só (mais um) planeta, sem luz própria.

Quando foi que eu fiquei tão dependente da luz que é o seu olhar?

Imaginei que a tristeza fosse acontecer quando eu olhasse para fora de mim e visse tudo virado em escuridão. Mas o escuro é a presença de todas as cores ao mesmo tempo. Eis que tudo está branco, que é a ausência de todas as cores. O mundo virou uma grande massa, onde cada coisa não é cada coisa, mas sim uma grande massa do meu vazio.

Quando foi que fiquei tão dependente do seu olhar? Sou puro outono, em que folhas não param de cair. De que importa elas serem coloridas se nenhuma delas se fixa a mim? Olho para fora e só vejo o vazio de dentro. Quero dizer e calar ao mesmo tempo, então, só o que consigo fazer é deixar a angústia correr pela mão que segura a caneta. Por enquanto. No dia em que esse fim terminar, nem mesmo o feixe de vida que faz a caneta desenhar letras terá vida para isso. Assim como começamos a morrer no momento em que começamos a nascer, também o nosso amor começou a morrer no instante em que começamos a nos amar. E quando esse fim terminar de acabar? O que será de mim? Serei? Como não doar cada pedaço da minha existência a esse amor? Como deixar o amor morrer e continuar viva? Como não definhar enquanto assisto ao desejo que você tem/tinha por mim virar defunto? Escrever me é patético porque não me salva. Não me exime da dor e nem me safa da morte.

Quero engolir o mundo inteiro para poder depois expeli-lo. Quero me vomitar. Ou me autofagocitar. Quero me corroer. Mas tudo continua igual. O meu corpo, o seu, o alinhamento dos planetas, nada mudou. A lua não brilha mais ou menos porque você me ama mais ou menos. O sol não para de nascer ou de se pôr todo maldito dia dependendo do que você sente por mim. As pessoas não deixam de casar, buzinar, nascer, morrer ou dirigir mais ou menos embriagadas por causa disso. A vida é uma falta de respeito com os mortos-vivos. Preciso eliminar cada célula minha marcada por cada vez que seu olhar pousou em algum pedaço da minha existência para que eu possa me recuperar. Preciso parar de escrever para poder morrer. Preciso me deixar assustar pela fragilidade que me habita. Preciso admitir alguma coisa inadmissível. Preciso aprender a trocar de pele, tal como as cobras. Posso me esquecer de você com a minha razão, inteligência, cognição. Mas não posso me esquecer de coração. E há um maldito coração em cada célula minha. Não há como autorizar a minha existência sem você ou sem que algumas das minhas células permitam que meu coração continue palpitando em alguma delas. É por isso que só posso morrer.

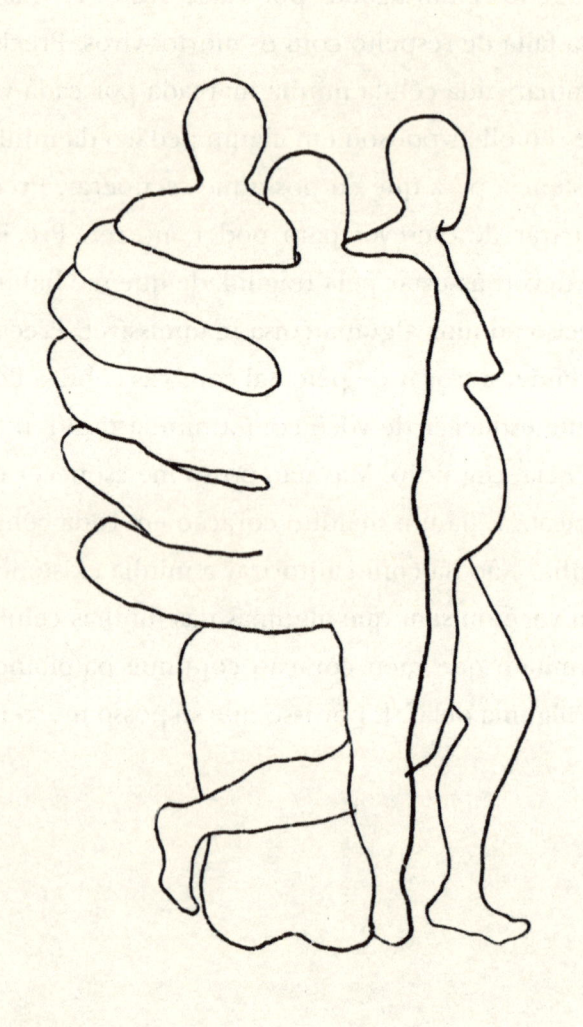

Como saber?

Se as coisas começam a acabar quando começam, como saber quando o fim termina de acontecer?

Se eu não sei sequer o momento de jogar o meu rímel ou o meu delineador fora, pois eles sempre me parecem conter algum líquido ainda, como saber quando um relacionamento acabou?

Coloco água pro xampu durar mais, abro os meus cremes com a tesoura e encontro ali mais uma boa porção, mas com gente eu não sei se funciona assim.

Depois de tanto tempo de relacionamento, me parece que aceitar que o nosso fim terminou de acontecer é jogar o tempo do nosso amor fora.

Ainda bem que temos os nossos filhos. Por meio deles vou poder te amar para sempre, visto que eles são a coisa mais preciosa que tenho no mundo e que eles são 50% seus.

E se eu reconhecer que o nosso fim terminou de acontecer, como farei para poder te odiar (só pelo meio do ódio é possível se desconectar do lado apaixonante do amor) sem transmitir esse ódio aos seus 50% das crianças?

Eu serei capaz de dissociar você deles?

E se a gente tiver um jeito, entre um milhão de dar certo, e eu tentar só os novecentos e noventa e nove mil?

Em que momento nosso fim terminou de acontecer?

Naquela noite de domingo entediante?

Naquela careta que fiz ao provar aquela cerveja ruim de trigo que você tanto ama?

No instante em que uma desconhecida semigostosa piscou mais forte pra você no mercado?

Quando você dobrou a esquina? Quando eu dobrei a esquina? Quando a esquina dobrou sozinha?

Quando você, ao virar de lado na cama, me roubou a coberta naquela noite, o que foi que esfriou junto com o meu corpo? Será que quando eu me esqueci de salgar o feijão deixei insossa toda a nossa história? Será que em meio à sua mania de lavar as mãos mais do que o necessário, você levou o nosso amor para o ralo?

E por falar em amor...

É impossível se conformar com um final onde ainda há amor. Ainda não posso compreender a insuficiência desse sentimento tão poderoso. Assim dizem que é. Como pode o amor entre duas pessoas não ser o suficiente para mantê-las juntas?

Existe amor, existe respeito, mas entre nós a interpretação de texto já não reina. Desde que nossos vocabulários não falam mais a mesma língua o nosso amor parece ter encarnado a minha metáfora do rímel.

Ele está vazio, mas alguma coisa deixa traços sempre que mexo nele. Fico pensando que a escovinha dele ficaria melhor num pote cheio, mas o amor pelo potinho vazio não permite que eu me livre dele.

Esquecer

Será possível te esquecer vestindo a mesma pele com a qual eu te amei?

Não posso continuar vivendo sem te amar nem habitando a mesma casa – que foi inteira tocada por você.

Por isso sei, se quero esquecer um amor, é preciso trocar de pele.

Como são sábias as cobras! Trocar de pele para esquecer um amor é o único modo possível!

Quando te amo demais, como demais também. Minha psicóloga disse que é porque fico feliz e que há pessoas que quando estão felizes, comemoram a felicidade comendo. Pois eu acho que é uma falácia reducionista. Eu como muito e engordo muito quando está tudo bem, que é pra poder ter mais pele e sentir o seu amor em mais partes do meu corpo. Para poder ter mais pontos de contato com o seu toque.

Ou talvez eu engorde para pôr seu amor à prova. Não posso acreditar no amor de um homem que só se faz presente quando meu corpo lhe agrada ali onde ele lida com seus padrões. É preciso que eu desmonte algo em ti, que eu lhe cause alguma estranheza, quiçá que eu lhe maltrate, só para ver o que acontece. É preciso que ao menos uma parte sua continue me desejando, ainda que você ache que não me queira mais. Só consigo sentir o seu amor como aquilo que escapa ao seu próprio controle.

E se quando você não me ama, deixo de comer, não é porque queira emagrecer, mas porque preciso existir menos. Quanto menos corpo, menos dor. Preciso pesar muito pouquinho para sentir só um tiquinho da dor de ser desamada por você. Preciso ter só um tantinho de pele, existir o mínimo necessário para suportar o meu corpo sem o seu desejo.

Só posso continuar vivendo se for outra e não a mesma.

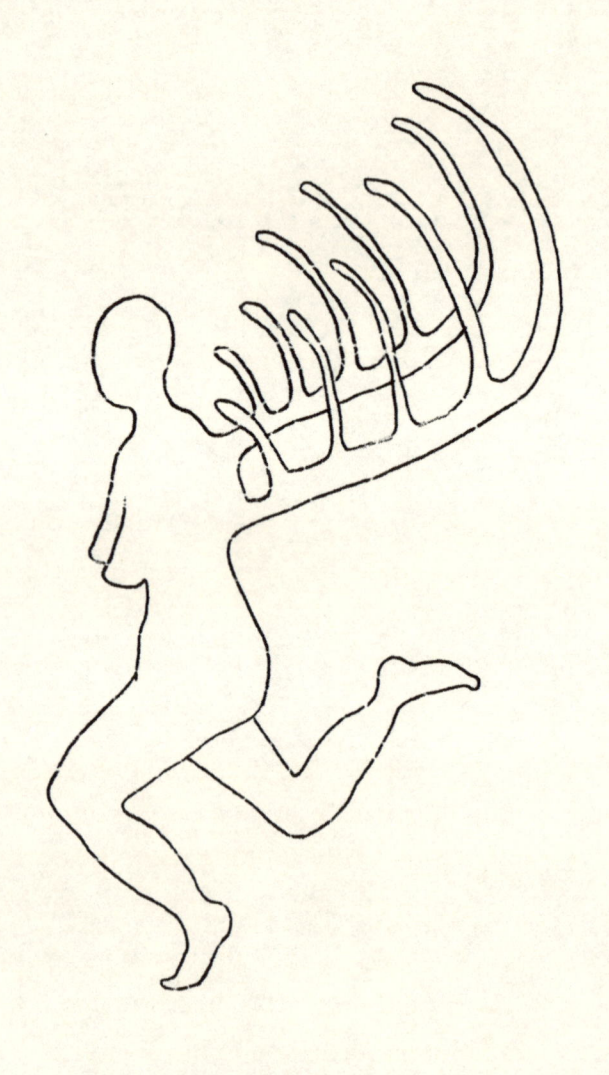

Não pise no meu vazio

Entre mim e ti há um vazio.

Amar é permitir que o outro brinque com os seus vazios. Desamar é quando o outro enche o vazio com o qual lhe foi permitido brincar. Não encha os meus vazios. Não encha o meu saco. Quero o meu saco cheio de vazios. Deixa eu brincar com o seu vazio. Ops, mas esse vazio seu ficou melhor em mim do que em você. É que os vazios combinam mais comigo. Que vazio seu, que nada. Esse vazio aqui sempre foi meu. Sou uma cleptomaníaca de vazios. Roubo vazios alheios porque eles sempre ficam melhores em mim. Mas quando pego o seu vazio para mim, na verdade o duplico, eu fico com um vazio a mais em mim e você continua com o seu vazio. Eu nunca encho os meus vazios, mas de vez em quando alguns deles simplesmente desaparecem. Puft! Mas eu não percebo, e então ele passa a nunca ter existido. É como desamar. Desamar é como nunca ter amado. Depois que o meu amor passa, na verdade eu nunca amei. Ou o amor está vivo ou nunca existiu. Por isso o amor é eterno. Os vazios também são eternos. Se está cheio é porque nunca esteve vazio. Há alguns vazios que eu tento matar preenchendo-os. Mas não consigo. Eles estão transbordando, e ainda assim, vazios. Impreenchíveis. Não pise no meu vazio, não o preencha. Vista-se de vazios quando vier me ver. Se enfeite de furos, me conquiste com suas faltas, me deixe sentir a sua falta. Vou fazer um poema lindo conjugando as suas faltas com os meus vazios. Não se assuste. Não se engane. Eu não quero o que você tem para me oferecer, eu quero o que você não tem para me oferecer. Eu quero ser o seu vazio.

Prometo não te preencher

O meu vazio, quando percebido por mim, me faz ter vontade de ficar ainda mais vazio.
Por isso eu te peço:
Esburaca-me
Para depois me preencher
Só um pouquinho
Apenas um buraco de cada vez
Ou dois
Ou três
E então
Causa-me mais buracos
Para poder sempre
Me preencher mais
Permita que eu te esburaque também

Prometo não te preencher
Mas preciso te furar

Confissões sobre uma tentativa de escrever

Queria escrever por uma questão de vida ou morte, mas escrevo só por hobby.

Queria escrever com o ventre, com as tripas, com sangue, com as vísceras.

Mas escrevo apenas com as mãos. Com uma das mãos, mais especificamente.

Queria escrever por necessidade, mas escrevo por desejo.

Queria que escrever fosse grave para mim, queria escrever verdades rebuscadas, denunciar segredos do universo. Queria estar à beira de um abismo, onde a palavra fosse minha única possibilidade de me ancorar na terra ou na realidade.

Escrevo porque viver uma vida apenas parece pouco para mim. Porque morar em um só corpo é insuficiente, porque as palavras me permitem brincar de morar em vários corpos. Escrevo porque me sinto claustrofóbica nos meus pensamentos, porque tenho minicrises de ansiedade que parecem um excesso de mim dentro de mim.

Escrevo porque escrever piora, ao invés de aliviar. Escrevo porque há certo masoquismo morando em mim. Escrevo porque não posso sair de mim e ser outra, mas só posso me ser se eu for outra dentro de mim.

Escrevo porque leio. E ler, sim, é coisa grave. Escrevo antes, durante e depois de ler na tentativa de tocar algo do que leio. Tal como uma criança que foi submetida a exames médicos repete a experiência vivida com seus brinquedos depois. Escrevo como quem se vinga.

Escrevo porque amo e não sei o que fazer com o tanto de amor que sinto. Escrevo porque se eu dirigir todo o amor que sinto ao meu amado, lhe enforcarei com um abraço, lhe asfixiarei com um beijo. Escrevo para manter meu amado vivo e para não assustá-lo demasiadamente com meu sentir. Escrevo porque posso escrever. Escrevo porque não posso jogar meu corpo de um penhasco e escrever sobre a experiência depois. Escrever é me jogar de um penhasco com palavras. Escrever é o meu modo de me manter viva.

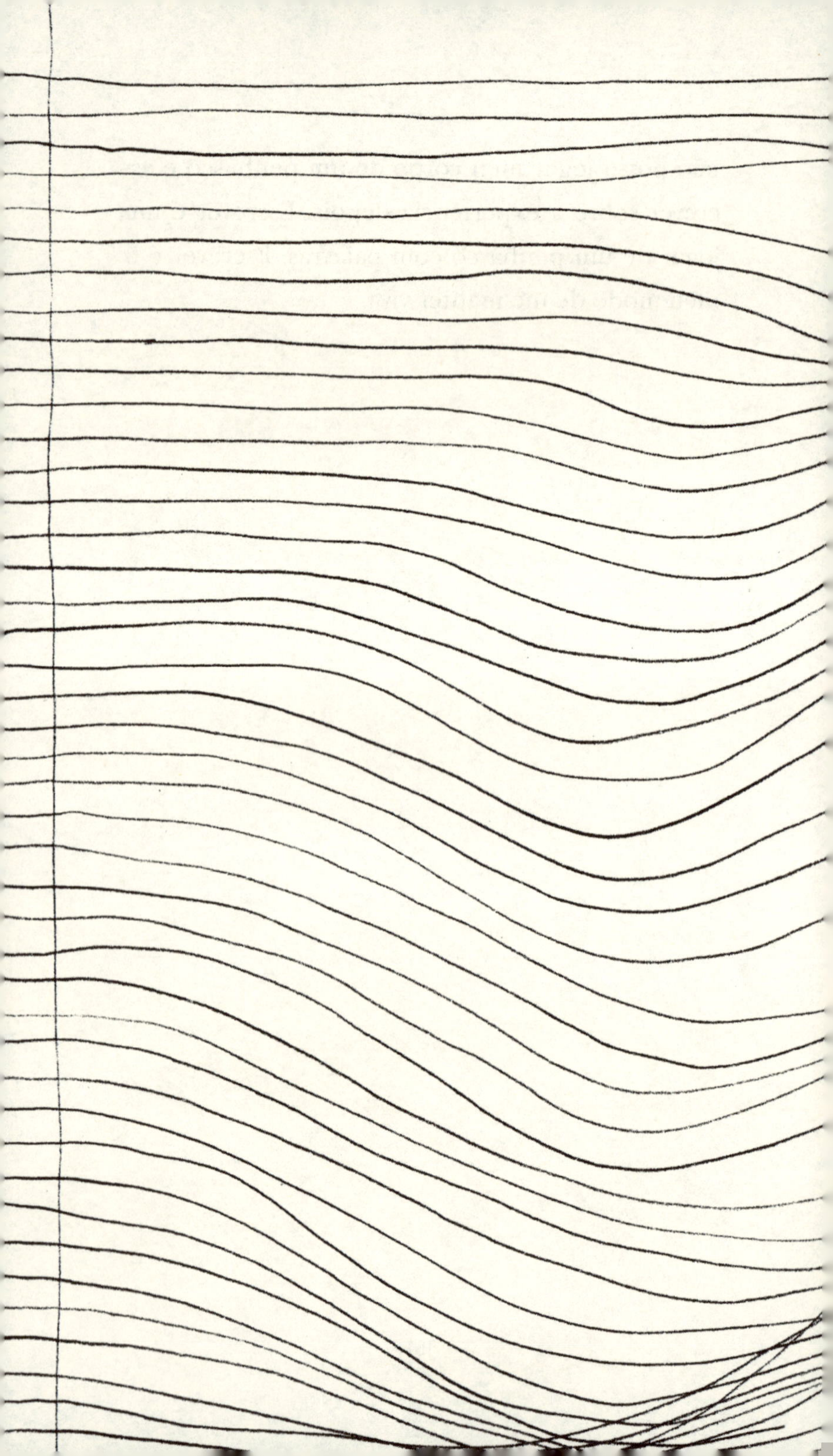

Do que
preenche
e esvazia
ao mesmo
tempo

Caro amor da minha vida

Aguardo ansiosamente pelo dia do nosso encontro. Não sei se acontecerá, pois dependemos de muita sorte. Somos oito bilhões de pessoas no mundo e eu só tenho algumas centenas de amigos nas redes sociais – e é claro que nem sequer conheço todos pessoalmente.

Minha vida anda difícil, às vezes tenho umas tristezas repentinas, às vezes umas alegrias doloridas, às vezes tudo fica tão mais ou menos... Sei lá, sempre me parece faltar alguma coisa, quando sei que na verdade não falta nada e isso é muito estranho. Por isso anseio pelo dia do nosso encontro, que será lindo.

A partir desse dia eu vou te amar muito e você vai me amar de volta na exata proporção que eu te amar. Eu nunca vou duvidar do seu amor por mim e você sempre terá a mais absoluta certeza do meu amor por você.

Quando eu disser alguma coisa você sempre escutará o que eu quis dizer e não o que eu disse, e os mal-entendidos da linguagem não habitarão nosso amor.

Quando eu estiver triste você saberá, e me encherá de mimos. Se bem que se eu tiver você, então não ficarei triste.

E nem você ficará irritado, entediado ou bravo, pois terá a mim: o amor da sua vida.

Quando eu estiver me sentindo esquisita num domingo à noite, com vontade de comer alguma coisa que não sei o que é, você irá cozinhar para mim ou comprar algo na padaria e certamente vai acertar. Se bem que eu não me sentirei esquisita e nem terei vontades desconhecidas em mim, pois você irá me preencher com seu amor.

Não precisaremos de amigos ou de filhos, pois seremos incrivelmente felizes juntos, sem precisarmos de mais ninguém.

Não iremos viajar, pois seremos plenamente realizados na nossa própria casa.

Não vou fazer uma pós-graduação e nem você

vai almejar uma promoção no trabalho, pois a felicidade sempre reinará entre nós.

Eu não sofrerei com tpm ou inferno astral e nem terei crises existenciais achando que não tenho tantas roupas quanto eu queria.

Você não desejará outras mulheres nem mesmo em pensamento e também não quererá jogar futebol com os amigos às quartas-feiras.

Não teremos discussões de relacionamentos, nem crises de ciúme e nem um sexo caprichado depois de uma briga.

Pensando bem, amor da minha vida, eu prefiro que você não apareça.

Onde acontece o amor?

Às vezes tenho a sensação de que o amor é um sentimento que acontece em outra dimensão. Em outra vida. Talvez no resquício de uma vida passada, talvez no aviso de uma vida futura, talvez numa realidade paralela.

Amor é sombra de algo que não se vê, não se toca, não se diz.

Talvez isso explique por que continuo lhe amando mesmo quando deixo de gostar de você. Ainda quando te acho desagradável, babaca ou desprezível sou invadida por uma vontade de lhe beijar que não condiz com as coisas que penso ou com as coisas que sinto. É como um excesso de mim mesma, em que não consigo me reconhecer.

Amor é sombra sem reflexo no espelho. Amor é palavra que não devia ter significado no dicionário. Amor é aquilo que eu te digo e você não entende. Amor é isso que não encontra respaldo no terreno do sentido, é isso que não entendo com a lógica, mas transbordo de entendimentos por cada poro da minha pele.

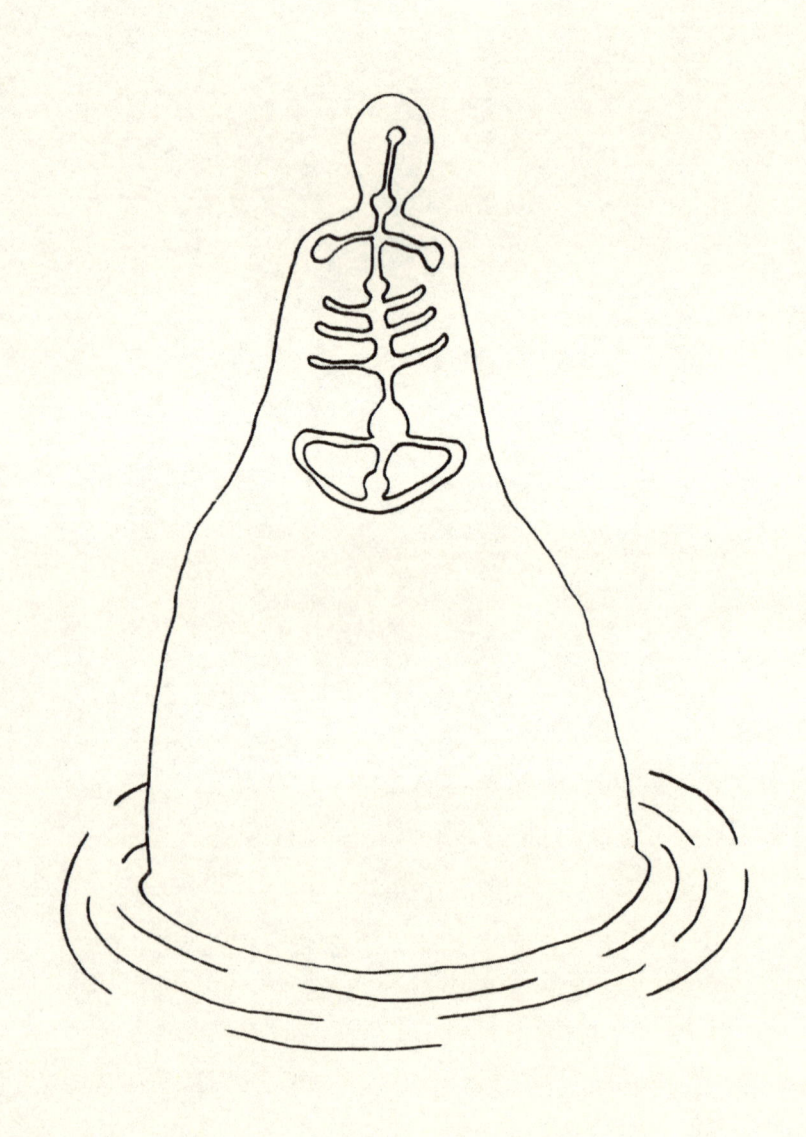

A chuva

Ela olha pela janela. Pessoas passando, chuva passando, tempo passando. Dói-lhe a cabeça. Luta para não se render às aspirinas, tentando descobrir o porquê da dor de cabeça. Às vezes funciona. Quando descobre algo excessivamente inacabado em seus pensamentos, a cabeça já não precisa mais doer para lembrá-la daquilo, e então consegue curar a sua própria dor. Pelo menos a da cabeça.

 Nesse momento, enquanto mentalmente retoma os últimos acontecimentos, é acometida por uma invasão de lucidez. Relâmpago de consciência. Um raio na cabeça. E, ao olhar na janela, vê um borrão. Não vê a vida passar, mas vê a vida querendo ficar. As coisas e as pessoas (qual é a diferença?) ganham tons fortes, cores salgadas, brilhos opacos, movimentos articulados.

Pensa: "Será?". Duvida das coisas que passam por sua cabeça. As coisas ganharam vida ou seria ela que tinha ganhado um olhar? Porque vocês sabem, ver e olhar são coisas muito diferentes. E é isso que ela pensa: que tinha ganhado um relâmpago de olhar, essa coisa que ultrapassa o sentido da visão.

"Olhar arrepia, né?" – quase pensou alto. Difícil isso de olhar as coisas fora de você. Dá até uma dorzinha cretina no peito... mas boa.

Às vezes é tão ensimesmada que se esquece que as coisas ao seu redor também têm vida.

Fazia tanto esforço para se manter viva, que a cabeça latejava. Dor de cabeça. Dor essa que não era localizada, espalhava-se. Para lembrar que tinha uma cabeça, ela doía.

Às vezes isso também acontecia com o corpo. Doía para lembrar que existia. Porque ter um corpo lhe era angustiante. O corpo é uma prisão, onde se está condenado a passar a vida. Claustrofóbico!

Queria não ter um corpo, e sair se esparramando mundo afora...Teria coragem para isso? Alguém tem?

E, da janela, passando pelo túnel da visão, atingindo o olhar, ela sentia as coisas fora de si acontecendo. E refletindo dentro de si. Estava presa dentro de seu corpo. E isso era viver.

Sofia

Algo lhe doía. Não sabia o que, não sabia onde, não sabia por quê. O que sabia é que de fato doía, e era assim desde sempre. Às vezes se esquecia da dor, às vezes se lembrava dela. E podia ser qualquer coisa a desencadear a coisa doída. Tinha dias que era uma palavra que despertava a dor (des-perta-dor?), às vezes era um gesto, uma cena, um acontecimento. Aí respirava bem fundo e sentia que o ar lhe faltava. Como se a dor tivesse tomado o vazio do peito dela, roubando o lugar do oxigênio que lhe era necessário para respirar. Respirava fundo, várias vezes, e algo lhe distraía, tirando-a daquele desconforto, que era quase um deleite; tirando-a daquele lugar que era perceber que a dor existia. "Mas essa dor era dor de quê?", perguntava-se, intrigada.

Foi a um psiquiatra, que lhe receitou antidepressivo. Foi a um gastroenterologista, que recomendou-lhe fazer uma endoscopia. Foi a um pneumologista, que lhe pediu um teste ergométrico. Foi a um cardiologista, que a encaminhou para um exame cardiovascular. Foi a um psicólogo, que procurou um motivo para explicar a dor da moça. O fato é que doía e ela não sabia o que era. Aliás, desconfiava que talvez nem fosse uma dor. Desde pequena lhe diziam que a dor era ruim, mas sabia que aquela não era. Ao menos não era algo do qual ela quisesse se livrar tão rapidamente. A curiosidade lhe intrigava mais do que a dor. O que é que doía? Era curiosa e queria saber.

Pensava, às vezes, que essa dor nem dela era. Parecia mais que era "dor de mundo", a qual havia tomado emprestada. Dor de criança sem beijo de mãe para dormir à noite, dor de cachorro com a pata quebrada tentando atravessar a avenida, dor de bebê com cólica, dor de velhinho que não tem onde passar o natal, dor de gente que tem câncer terminal e não tem visita, dor de existir, dor de fome sem ter comida, dor de abandono, dor de morrer. Dor de consciência, dor de lucidez. "Pode?" – pensava ela.

Aí vinha uma vontade súbita de salvar o mundo, acompanhada de uma espécie de culpa por ser alegre. "Como é que eu tenho coragem de ser tão feliz num mundo tão sofrido?" – pensava. Mas sabia que isso era só pra distrair. Não havia culpa. O que havia era uma questão. Trechos de livros de Clarice Lispector a perseguiam obsessivamente: "Viver não é lógico" ou "Ser feliz é para se conseguir o quê?". E na ausência de respostas que fizessem os pensamentos parar, na ausência de certezas absolutas, a dor aparecia, bela e exuberante.

Junto com a dor, aparecia então, o desejo de fazer a sua vida ilógica, a sua pequeneza "valer a pena", como ouvia dizer. Aí fazia trabalho voluntário, doava sangue, medula óssea, cuidava de cães e dizia que era para o outro. Mas no fundo sabia que aquilo tudo era para si mesma. Para poder criar espaço no peito para o ar entrar. Porque precisava respirar. Porque era assim que sentia que a vida passava pelo seu corpo.

Disfarce

É uma constante tensão. Eu quero te curar de você, você quer me curar de mim.

Você era tão organizado, até eu aparecer na sua vida. Nada fora do lugar, camisas organizadas por cores, rotina milimetricamente calculada. Eu cheguei desorganizando tudo, largando calcinha no banheiro, pares de brincos na mesa de cabeceira, livros que esqueci que estava lendo em cima do sofá. No começo você se irritou e eu achava que era porque você pensava que eu estava querendo marcar território, porque você teria que fazer um checklist mental antes de levar outra à sua casa ou ao seu carro. Depois descobri que você se irritava porque eu interferia agressivamente no seu modo de viver e de se relacionar com as coisas do mundo. Aos poucos você foi se irritando cada vez menos, e hoje, nos dias em que o bom-humor mora em você, faz piadas dos meus hábitos de nunca colocar a mesma coisa no mesmo lugar em que já esteve antes.

Eu era tão desorganizada, até você aparecer na minha vida. Não é que hoje eu seja organizada, mas é que hoje eu sei esconder melhor a minha desorganização de você. Talvez você também seja apenas mais discreto com os seus degradês. Mas eu continuo querendo te desorganizar e você continua querendo me organizar. A isso chamo de nos curar. No momento em que conseguirmos nos curar, deixaremos de nos amar.

Não posso permitir que você me cure de ser quem sou, pois então não serei mais eu quem lhe ama, mas a mulher que você quis que eu fosse. Você não pode me curar de mim e continuar me amando, pois o amor é justamente essa constante tensão que põe as almas em movimento. No instante em que se atinge um objetivo duas coisas podem acontecer: ou se constrói outro, ou o jogo acaba.

Por outro lado, embora eu não permita que você me cure de mim não posso ignorá-lo de todo.

Pois quando me dou ao luxo disso te desconcerto. A certeza de que seu desejo não interfere no núcleo do meu ser te é enlouquecedora. Preciso sempre disfarçar os meus saberes de ti, tornar o enigma suportável, tornar o que há de não compreensível em mim em tons que não sejam fluorescentes aos seus olhos.

Por isso é sempre preciso uma pitada de condescendência, ainda no meu ponto mais rebelde. Será isso o amor? Carregar no próprio corpo a fraqueza do outro, e então disfarçá-la para que não se saia correndo?

Mas não muito

Quero uma pessoa que me ame, mas não muito. Que sinta um pouco de saudades, mas não demais. Que se eu for viajar, vá a um bar ou um parque, feliz da vida. Que eu não me sinta responsável pela felicidade dela. Que sobreviva muito bem, obrigado, sem mim. Que torça pra que eu saia só com o meu grupo de amigos de vez em quando. Que ache o máximo que eu queira fazer coisas sem ela. Quero um homem que olhe para os lados. Que veja outras mulheres. Que deseje outros corpos além do meu. Que não se angustie demasiadamente quando me pegar olhando para os lados. Que saiba que também desejo outros corpos. Que não se entristeça diante da falta de freios do meu desejo, mas que também não o comemore. Quero um homem que deseje ser único para mim e que me faça única para ele. Não quero um relacionamento capitalista, em que todos são substituíveis, mas também não quero um relacionamento socialista, em que todos são de todos. Quero ser de alguém, mas não inteiramente. Um pedaço meu tem sempre que estar sem dono, um pedaço meu tem sempre que ser de ninguém, nem mesmo meu. Preciso de um pedaço meu que não tenha bússola nem nome e que me permita que ainda que eu morra de amores ou de desamores por este homem, ainda assim esse pedaço meu, que ficou de fora de tudo isso, sobreviva. E cure todo o resto de mim. Quero um homem que se apaixone não pelo que ele tem de mim, mas por esse meu pedaço que nem meu é. Que ele deseje arduamente essa minha parte que nunca será dele. Que ele quase adoeça de desejo por essa parte. Que ele perca noites de sono angustiado por não ter tal parte, mas sem sequer reconhecer a causa de sua insônia. Que ele sinta seu peito formigar, sua boca amortecer, que seus olhos sequem, que seu estômago se revire e que ele não controle suas ereções e nem seus esfíncteres, tudo porque deseja aquilo que não pode ter. Quero que ele se enraiveça comigo por causa disso, que sutilmente ele implore para que eu ceda esse meu pedaço a ele, que ele guarde essa raiva e a deixe explodir na hora do sexo de uma segunda-feira de madrugada. Quero que ele esfole os joelhos existencialmente de tanto se arrastar pelas arestas do seu pensamento tentando entender o que é que faz com que seus olhos tremeliquem todos os finais de tarde. Quero um homem que se deixe seduzir pela minha loucura e que não recue diante dos seus próprios mistérios. Quero um homem que me proteja da loucura dele e da minha também. Para isso, é preciso que me ame, mas não muito.

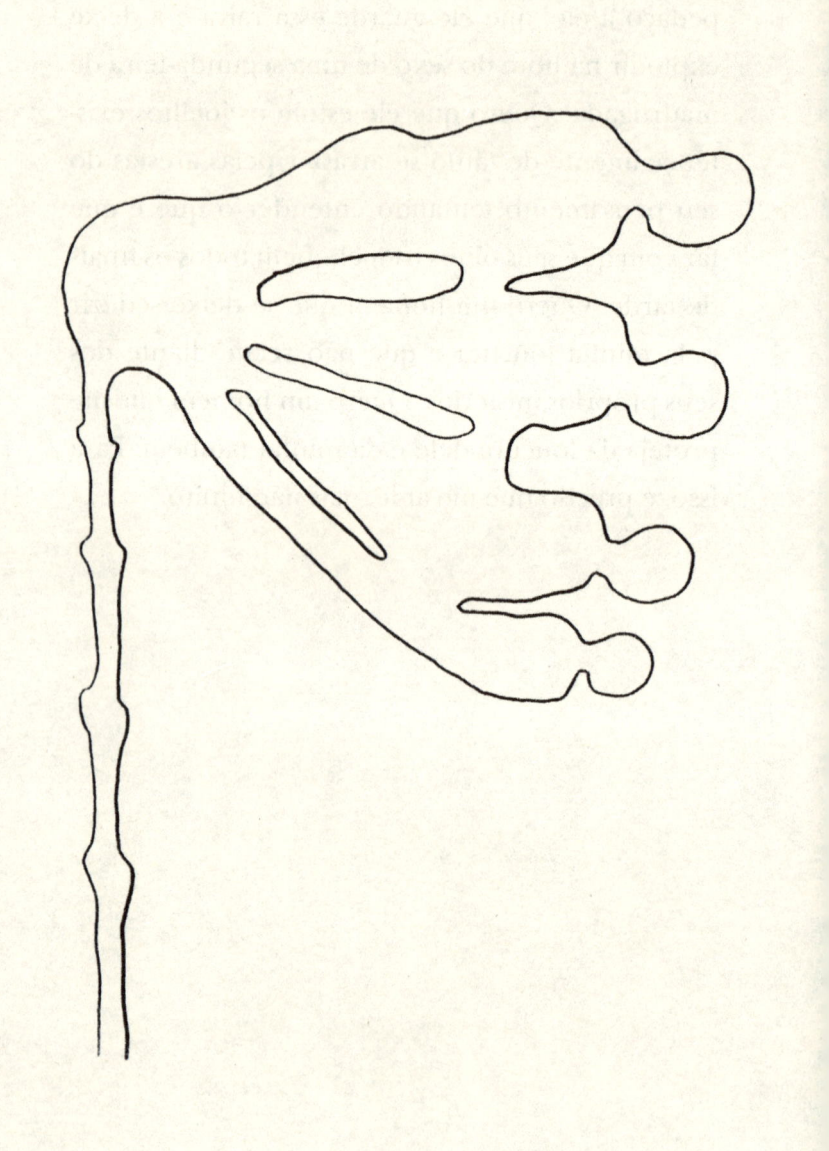

Alfabeto feminino

Alice sente um vazio no peito e tenta preenchê-lo com próteses de silicone.

Bruna sente um vazio no peito e tenta preenchê-lo com carboidratos.

Carmem sente um vazio no peito e tenta preenchê-lo mexendo o tempo todo em seu iphone.

Dóroti tenta preenchê-lo com a presença de seus gatos.

Érica tenta preenchê-lo comendo chocolates.

Fabíola, transando com homens idiotas.

Gabriele, lendo Sócrates.

Helena tenta preenchê-lo com crises psicóticas.

Inês sente um vazio no peito, tenta preenchê-lo bebendo vodka até ficar de porre.

Janaína, estourando o cheque especial.

Karen preenche o vazio no peito recitando clichês do tipo "a esperança é a última que morre".

Luíza preenche o vazio do peito dizendo que é antissocial.

Elas se esforçam muito pra preencher o vazio no peito com algum sentido.

Pois sentir o vazio inteiro é parecido com a morte.

De A a Z, elas secretamente sabem que o vazio no peito não pode ser preenchido.

Mas pode ser contornado, com amor ou com sorte.

Paliativo

A menina nasceu sozinha. Quando criança, tinha uma fantasia de que tinha uma irmã gêmea e que num dia qualquer a encontraria na rua, com a banalidade de quem encontra o próprio reflexo em um espelho. E então, não se sentiria mais só, teria a sua outra metade.

A menina tinha asma. Era o único exemplar em sua família com tal doença. Ela e somente ela, em sua convivência, sabia como era querer o ar para dentro de si e ser incapaz de aproveitar o ar, ainda que tivesse à disposição todo o oxigênio do mundo. A sua angústia da asma não era compartilhada. Nem a angústia da solidão.

Cresceu só. Suas células se multiplicavam em

progressão geométrica, sua altura e peso aumentavam, tornava-se cada vez mais saudável, mas sentia que a sua outra metade nunca terminava de nascer. Estava sempre à espera.

Aprendeu a ler e escrever. Solidão maior, não havia. As coisas que lia, eram só dela. Os seus pensamentos lhe eram exclusivos. Os seus saberes a ninguém mais pertenciam, além dela mesma. Os seus sentimentos ninguém mais sentia, os seus devaneios, ninguém poderia saber. Tinha um mundo de segredos, quando tudo o que queria era compartilhar.

Ganhou curvas em um corpo de mulher, que ela não pedira. Era parabenizada por seu corpo crescido que agora sangrava, mas ela continuava sozinha ali dentro. As novas roupas que vestiam cobriam as suas antigas dores. Roupas e dores, exclusivamente suas. Para distrair, dividia o guarda-roupa com as amigas.

Apaixonou-se. O moço, que recebia amor platônico, nem sequer soube da paixonite que ela lhe nutriu por algum tempo. Então, o coração da moça batia em dobro. Por ela e pelo moço. Mas a taquicardia era só dela, assim como a asma. Desapaixonou-se. Um dia, o seu coração cansou de bater pelo outro, que não a correspondia, por ingratidão ou ignorância. Voltou ao ritmo de coração solitário. Ela duvidou de seus sentimentos. Como tinha vivido aquela experiência sozinha, não havia quem lhe confirmasse que, de fato, aquele sentimento havia existido. Às vezes achava que tinha inventado apenas mais uma história.

Apaixonou-se por outro rapaz. Soube que era correspondida em seu amor. E então, pensou que enfim, não estava só. Tinha um par de olhos brilhantes a testemunhar sua existência. Via-se não no espelho, mas no ponto de luz da retina dos olhos do rapaz que a olhava. Espelho mais fidedigno não havia. A sua taquicardia tinha, enfim, um guardião. Pôde, enfim, tomar ar em seus pulmões.

Foi então que descobriu que o rapaz não gostava exatamente das mesmas coisas que ela. Tinha uma doce ignorância acerca dos sentimentos que ela lhe contava. Estava só (não de novo, mas ainda), com as suas roupas, com os seus pensamentos, com o seu corpo, com a sua asma, com o seu saber.

Às vezes tinha taquicardia, e era bom. Às vezes sentia o corpo do amado como se fosse o dela, e era bom. E às vezes a solidão lhe era boa companhia. Descobriu que viver não tem cura, o amor é paliativo.

Bichinho da escrita

Se eu não ficar atenta, rapidamente interpreto sua presença em meu corpo como angústia, como tristeza, como tontura, como cansaço de ser.

Caso eu me esperte logo que essa esquisitice chega, no entanto, consigo colocar o bichinho para escrever.

Não sou eu que escrevo, mas ele. Tudo o que faço é ficar atenta para saber quando ele me pica e dar-lhe movimento para fora do meu corpo.

Outra coisa que pode acontecer se eu não ficar esperta quando o bichinho chega, é adoecer. Alergia é o perigo maior. Acho que é porque o bichinho não quer me fazer mal – e alergia é muito parecido com alegria. Mas só na palavra. Talvez meu bichinho seja disléxico.

Teve um dia que o bichinho chegou, eu não me atentei e quase morri. É que não foi um bichinho, foi um bichão, muito maior do que eu dou conta de escrever – e o bichão, apressado, nem me deu tempo para perceber que eu precisava escrever. Muito rapidamente, mais do que os meus olhos podiam acompanhar, eu fui inchando, me coçando, espirrando, e quando cheguei ao hospital já não andava, e o ar começava a faltar no vazio que o aguarda em meus pulmões. Não fossem as injeções de adrenalina e fenergan, o bichão da escrita tinha me matado.

Felizmente, há outros recursos na vida para enfrentar os bichos, para além da escrita. Obrigada, cientistas.

Se você também sofre de bichos da escrita, não precisa se assustar. Estou contando isso para você porque o bichinho aqui me obriga, não é para causar pânico. Mas talvez possa servir para que você preste atenção nos sinais do seu corpo que convidam – ou pior, convocam – à escrita. Com a escrita não se brinca, embora ela seja uma brincadeira.

Eu nunca estudei espiritismo, mas dizem que tem gente que recebe entidades no corpo. A escrita se parece com o que penso ser uma possessão.

É uma experiência de suspensão na relação com o corpo em que me sinto obrigada a escrever sobre algo que não sei o que será, até escrever. É a isso que preciso estar atenta, porque se o bichinho invade o meu corpo e eu não percebo, fico me defendendo dele sem saber com tristeza, dor no peito e autodepreciações e autoexigências desmedidas na tentativa de me manter achando que mando em mim.

É por isso que a escrita tem vida própria. É por isso que eu aprendo escrevendo. Escrevo para recuperar meu corpo. Escrevo para exorcizar o bichinho da escrita. Escrevo porque o bichinho escreve. Escrevo quando não escrever é mais trabalhoso ou sofrido. Escrevo porque tenho preguiça de não escrever. Escrevo porque amo demais viver para gastar meu tempo com alergias, angústias, tonturas e beijos de morte que podem ser evitados, se escritos no tempo oportuno.

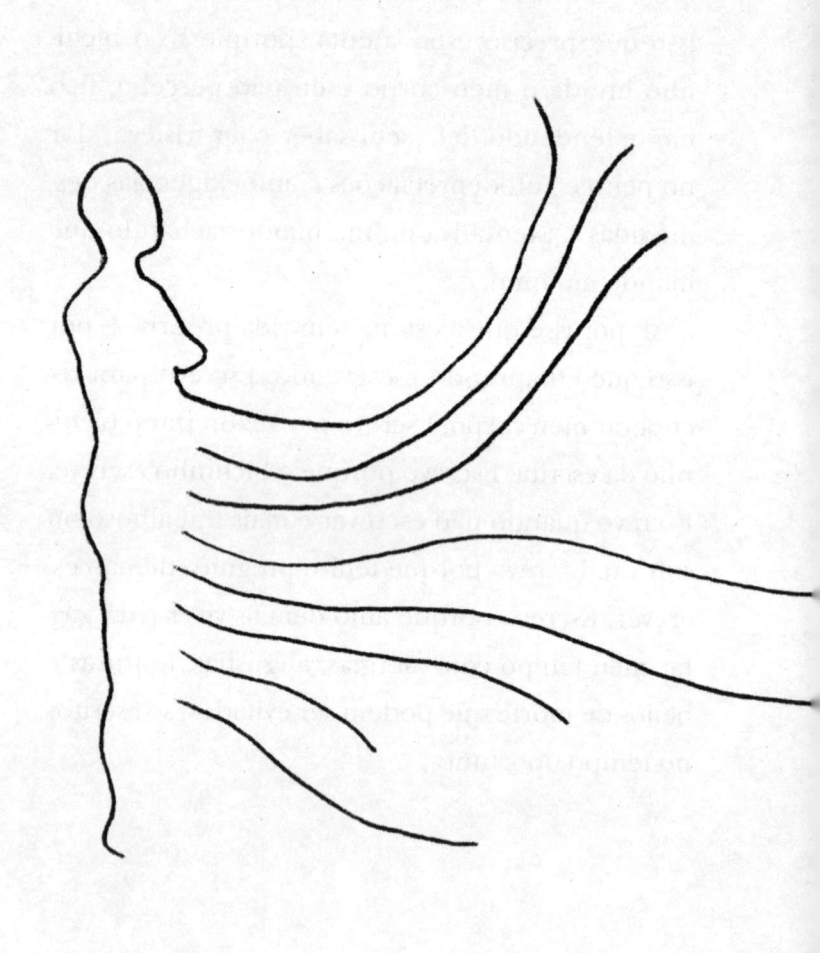

Batismo

Querido vazio,

Quantas voltas em tantos excessos até chegar em você!

Quantas queixas, quantas demandas tortas de amor, quantos brigadeiros de colher...

Quantos flertes com a morte!

Quantas insônias, quantas hipersonias, quantos sonhos e pesadelos.

Quantos quereres para a vida!

Começa com uma coisinha caindo: uma decepção aqui, uma desidealização ali, uma frustração acolá.

Enfim, cá estou eu contigo: vazio, silêncio, nada.

Qual é o seu nome?

Indiferença? Insensibilidade? Desligamento?

Por que me deixaste aqui contigo? Ou aqui comigo?

Como é seu nome em mim?

(silêncio)

(espaço)

(respiro)

(nada)

Eu te batizo

(segredo)

Biscoito da sorte

E se pudéssemos chegar ao núcleo de uma palavra de amor e então encontrássemos com geleia de morangos caseira?

E se ao nos aproximarmos de um olhar apaixonado, não recuássemos diante dos seus escandalosos paradoxos?

E se as mosquinhas em torno de uma lâmpada em uma noite quente de verão confessassem-nos seus pensamentos vazios e nós pudéssemos ver-da-dei-ra-men-te captá-los?

E se numa noite de inverno, os estralos dos pinhões na chapa pudessem falar a nossa língua – será que o que eles diriam poderia ser traduzido por "amor, vazio, amor, amor, vazio..."?

E se o olhar de quem apenas espera a morte chegar pudesse traduzir os arrependimentos de se ter guardado os papéis de cartas cheirosos e intactos na pasta que, anos depois mofaram, ou foram jogados fora em uma grande e megalomaníaca faxina, ou ficaram guardados e sem cheiro por puro apego – em vez de terem servido de suporte para cartas na tenra infância, quando ainda não havia medo das palavras – mesmo que elas fossem de amor?

E se estas palavras que eu escrevo aqui marcassem o corpo de alguém como um beijo de mãe verdadeiramente brava, e alguém pudesse ser invadido por um irresistível desejo de escrever algo de si, e o fizesse, mesmo que parecesse desimportante (nunca o é) – apenas como se fosse um banal bilhete de biscoito da sorte: Qual o "e se" que você escreveria?

A cor dá

Às vezes um texto me acorda exigindo ser escrito – eu obedeço e o escrevo. Para poder dormir.

Mas às vezes é a vontade de escrever que me acorda – sem texto. E aí eu não sei o que fazer com ela. Como dormir?

Oi, dona vontade de escrever, cadê o texto?

Existe isso, "vontade de escrever", sem o algo a ser escrito?

De onde tirei que isso que me acorda é "vontade de escrever"?

Há quem acorde com fome de não sei o quê, e então vá comendo algumas coisas na tentativa de aplacar algo que não sabe o que é.

Eu escrevo na tentativa de descobrir o que é

que eu queria escrever.

Talvez sejam duas maneiras diferentes de fazer algo com o vazio que nos habita.

Pode ser que vazio seja coisa que perturba o nosso sono.

Não me acorde, vazio.

Se bem que é melhor ser acordada pelo vazio do que acordar vazia.

Me acorde, sim, vazio.

Quem sabe ser acordada pelo vazio seja uma forma de me separar dele. Como se ele não fosse eu. Como se eu não fosse ele. Como se eu não fosse eu!

Mas tendo a pensar que eu não sou eu, mesmo.

E por isso escrevo, na tentativa de alcançar uma eu que não fica em mim. Eu quase me alcanço ao escrever, ao me desalcançar.

Escrever é uma tentativa de ser e não ser o vazio que me constitui e me destitui. Também restitui.

Acho que agora posso dormir.

A casa mal acolhida

Casa
    Mãe
    Corpo
    Encontro

Mãe é o amor maior do mundo, em especial quando a gente a estranha.

Me lembro criança, olhando para a minha mãe e pensando, talvez até dizendo, *você é feia*. E aquilo era amor. Não era uma feiura estética, não era feiura de alma, não era feiura de nada que eu conheça hoje. Era feiura de feiura. Era que não era eu, e eu a amava.

Abraço de mãe é desencontrado porque a gente se encontra nele e se estranha. Mãe é a gente demais para a gente suportar. Mãe é outra, e como pode, se viemos dali? A gente vem da mãe, se não do corpo, vem do amor. Se não do amor, vem do corpo. Como pode não estar garantido mãe-corpo-amor?

Mãe é casa, mas nem toda casa é acolhimento. Algumas mães são acolhimentos também – e nem sempre são casas.

Escrever

É uma tentativa de apreender o inapreensível
    Acho que nunca funcionou,
    Mas segue sendo minha única opção.
    (ai de mim, que não sei fotografar, cantar ou dançar)

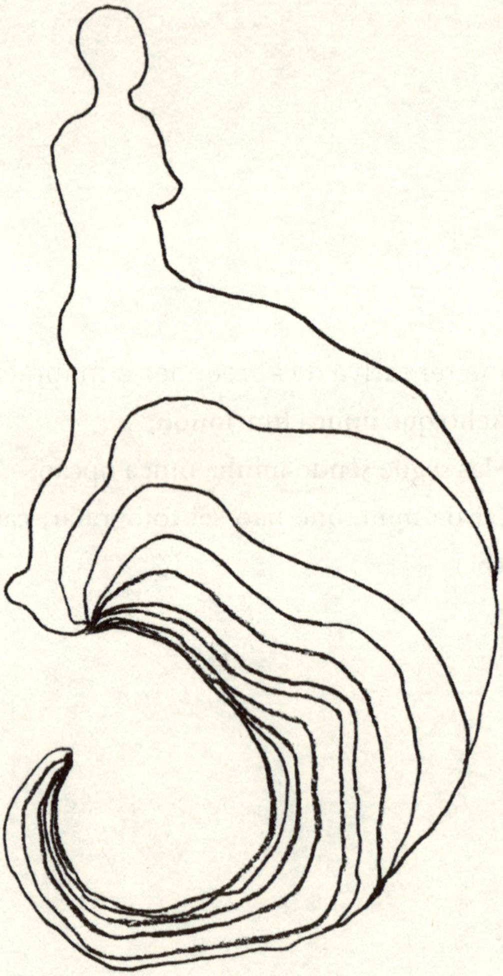

Casa sem quarto

Uma muralha da China se interpõe entre nós. E com ela, me cego para o lugar em mim que antes eu só tinha acesso a partir de você. Perder o acesso ao seu corpo é perder as chaves de mim, é perder as chaves do quarto que é meu corpo, do aposento que me constitui. De que serve estar em casa se o quarto está interditado? Como me sentir em casa sem quarto? Uma casa sem um quarto ainda é uma casa? Fazer da sala um quarto, já é ter um quarto. Fazer da cozinha um quarto, já é ter um quarto. Pergunto como me sentir em uma casa sem quarto. Como viver em uma casa sem fazer de algum cômodo um quarto. Talvez a grande pergunta seja: De que serve uma casa sem quarto? Veja o grande perigo, estou perguntando de que serve eu sem você? Pior ainda, estou perguntando de que serve eu sem mim? Já que o mim se dá via acesso por você... Meu quarto está lá fora, como as terríveis edículas de antigamente. Mas já não há fora... Sem ti não há dentro e fora. O que há é somente o que há. Algo que não foi tocado pela palavra e por isso não existe. Preciso me palavrear, descobrir novos lugares na casa que sou, ninguém pode viver em uma casa sem quarto, ou pior: numa casa sem dentro e fora. Preciso me adentrar, preciso sair de mim, preciso não precisar de você para isso. Agora o acesso à edícula me leva a dar de cara com a muralha da China. Eu já não tento mais entrar. Olho a muralha e tenho pena dela. Olho a muralha e penso como foi que ela foi parar aí. Olho a muralha e me lembro que a vi subindo tijolinho por tijolinho, mesmo que a sensação seja de que de repente ela apareceu ali. Olho a muralha e sinto pena de mim, que bem poderia fazer parceria com uma muralha, desenhar olhos, nariz, boca, fazer de conta que ela fala. Poderia até mesmo desenhar um quarto nela. Ah, como o amor é inventivo e como isso pode ser perigoso. Eu poderia inventar você e assim reinventar a mim todos os dias. Mas será que eu quero isso? Eu só precisava assim, de vez em quando, que a muralha se mexesse. Mesmo que fosse para me derrubar suavemente no chão. Eu só precisava que a muralha piscasse mesmo, ou cuspisse um tijolo para eu espiar o que tem além dela. Precisava que a muralha fosse menos muralha. Precisava que a muralha duvidasse de si mesma assim como eu duvido de mim. Talvez eu mesma devesse duvidar da muralha ou da minha absurda capacidade inventiva. Quem sabe não haja nada além de mim e da muralha. Quem sabe a muralha nos funde. Quem sabe a muralha seja uma excelente decoração! É, sim. Mas eu não quero decorações, quero corpos e quartos e as chaves de mim. Quero dentro e fora e não enlouquecer. Não há saída e esse texto precisa ser terminado. Não posso. Não há fim, porque acabar algo é marcar um dentro e um fora. Mas se a escrita me salva é porque com ela eu posso. Quarto. Dentro. Fora. Caminho. Chave. Pronto: agora tenho isso tudo. Caberá a mim inventar modos de usar minhas preciosidades maiores. Se termino esse texto, é porque ele já não me serve mais. Espero que sirva a algum outro. Espero que haja outro.

POSFÁCIO

O que dizer diante dos poemas
de amor de Ana Suy?

Talvez antes de seus versos escritos tenha vindo seu desenho de letra na infância, bordado por olhares entrecruzados que se fizeram linhas... linhas de desejo. Mesmo sendo linhas pontilhadas pelo espaçamento do tempo entre ser sua professora na infância, e hoje, ser sua aprendente sobre o amar, essas linhas teceram e sustentaram uma relação que se fez convite apaixonante de escrever o posfácio de seu segundo livro, endereçado a quem se enche e se esvazia pelo amor.

No ano em que fui sua professora, quando ela tinha 7 para 8 anos, seus cadernos foram encapados com plástico opaco, cheio de corações, sem a transparência perseguida pelos amantes, estando sempre cobertos e revestidos por possíveis entendimentos do amor. Tento encontrar sentido em memorizar por tanto tempo, além do traçado de sua letra, a capa de seu caderno!

A cada linha e entrelinha sentidas, seus versos de amor desencaparam-me e fizeram-me seguir por um itinerário de compreensões e indagações sobre a nossa existência. A cada sentido encontrado, um vazio se fez cheio, e a cada desencontro, esse mesmo cheio se fez vazio, sendo preservado e seguindo opaco, sem tanta transparência assim, como na capa de seu caderno da infância, que se abre agora para alguns desvendamentos, mesmo mantendo o mistério do que é amar.

Não pise no meu vazio é um convite a desvendar os versos de vida dos amantes, que na busca por compreender o que sentem, enchem-se, esvaziam-se e sustentam o incompreensível do amor, preservando e suportando o vazio necessário que move a vida na busca de sentidos.

Com uma linguagem simples e profunda, cotidiana e inédita, leve e marcante, pontilhada e bem contornada, os poemas de Ana Suy percorrem caminhos sobre o que preenche, o que esvazia e o que preenche e esvazia a alma ao mesmo tempo. Seus poemas podem saltar de capítulo durante a leitura. Não pisando ou não completando o vazio com razões sobre o que é amar. Sua escrita desliza da ponta de uma estrela numa língua onírica, fazendo com que cada poema possa existir e ser sonhado ao encontrar o olhar de quem o lê com os olhos fechados.

Vazios indagados, localizados, identificados, nomeados, negados, endereçados, preenchidos, esburacados, perfurados, trançados, cheios, esvaziados, desejados, divididos, desconhecidos, vividos, reativados... tantos atributos indicados para este imperativo: "Não pise no meu vazio!". A poética, amante de Ana Suy, marca sua escrita que sempre faz escapar o significado do que seja amar, deixando a existência inconformada e alegre ao brincar com os múltiplos sentidos das palavras. Nas inúmeras tentativas de dizer o que não se consegue falar, a escrita de Ana Suy surge para que o amor possa ser lido nas entrelinhas de seus versos, feitos por uma letra constituída na infância.

Sua escrita poética começou numa letra de criança, traçada na caligrafia, moldada por afetos e linhas de vida que transformaram seus traços cheios em letras vazadas, esburacadas, com espaços para a alma transbordar e invadir vazios. A alma desejosa pode, sim, pisar nos vazios, pois marca sem ficar e permanecer. Ela escapa, ora está, ora se foi, buscando intervalos para sempre existir e amar! *Não pise no meu vazio* pode se transformar não na possibilidade de não pisar mas de caminhar no amor, indo ao encontro de alguns novos buracos para nascer, habitar e existir.

DANIELLE BARRIQUELLO (Tia Dani), sentindo-se cheia e vazia, ao mesmo tempo, por ser aprendente do amor, junto à sua aluna, quando criança, Ana Suy

Professora dos sujeitos da infância, psicóloga na educação, coordenadora educacional dos anos iniciais do Ensino Fundamental da Rede Marista de Colégios e especialista em Neuropsicologia e Aprendizagem, marcada pelos estudos da Psicanálise

LEIA TAMBÉM

ANA SUY

A gente mira no *amor* e acerta na *solidão*

PAIDÓS

Escrito a partir de diálogos, *A gente mira no amor e acerta na solidão* surgiu de experiências vividas pela autora em salas de aula, em sessões de análise (enquanto analisante ou analista), com amigos e em leituras de pesquisas teóricas. Neste livro, a psicanalista e professora Ana Suy quer, acima de tudo, continuar essa conversa contigo, leitor, sem a pretensão de parecer um manual ou um tratado acadêmico sobre o tema.

Puxe uma cadeira, fique bem confortável para um bate-papo sobre o amor, "essa experiência tão interessante que cada um vive sozinho junto a alguns outros ao longo da nossa passagem pelo mundo".

**Acreditamos
nos livros**

Este livro foi composto em ITC New Baskerville
e impresso pela Lis Gráfica para a Editora
Planeta do Brasil em outubro de 2024.